Schlank ohne Diät

Univ.-Prof. Dr. Rudolf Schoberberger
Univ.-Doz. Mag. Dr. Ingrid Kiefer
Univ.-Prof. Dr. med. Michael Kunze

Mit Karikaturen von Reinhard Habeck

Das **Super-Abnehmprogramm**

▲ Warum wird man dick?

▲ Abnehm-Motivations-Test

▲ So schaffen Sie es!

KNEIPP VERLAG
Leoben·Wien

natürlich gesund

ISBN 3-902191-26-0

© Firmensitz: Kneipp-Verlag GmbH, Kunigundenweg 10, A-8700 Leoben;
    Zweigstelle: Lobkowitzplatz 1, 1010 Wien.
Autoren: Univ.-Prof. Dr. Rudolf Schoberberger
            Univ.-Doz. Mag. Dr. Ingrid Kiefer
            Univ.-Prof. Dr. med. Michael Kunze
            Prim. Dr. med. Michael Vitek
Zeichnungen: Reinhard Habeck, Rückertgasse 21/5/67, 1160 Wien
Layout, Fotosatz, technische Bearbeitung: Kneipp-Verlag
Druck: Theiss GmbH, A-9431 St. Stefan
3. Auflage   Leoben, März 2003

Inhaltsverzeichnis

Übergewicht hat viele Ursachen............ 7

Warum wird man dick?........................ 8

Risiko Übergewicht 11

Körpergewicht – Körperfett 13

Essverhalten...................................... 17

Der Einfluss des Verhaltens
auf das Körpergewicht.................... 18

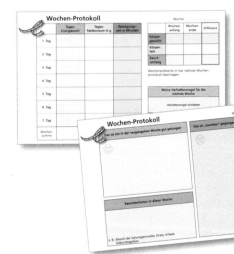

Esstypen 19

Schlinger oder Brodler 19

Kohlenhydratesser......................... 21

Resteverwerter 22

Kühlschrankesser 23

Abendesser 24

Berufsesser 25

Kantinenesser 25

Fernsehesser................................ 26

Zwischendurchesser....................... 27

Vorliebenesser 27

Methode Schlank ohne Diät (SOD)........ 29

Gewicht abnehmen – aber richtig........ 30

Lebensstiländerung und
das Drei-Säulen-Prinzip..................... 31

Der SOD-Motivationstest 35

Wissenschaftlicher Hintergrund
des SOD-Programms........................... 36

Durchführung des
Schlank-ohne-Diät-Programms.............. 37

Umstellung erworbener Essgewohnheiten
durch Reizkontrolle........................ 37

Schlank ohne Diät plus –
enthält die beiden Kalorienfibeln 39

Schlank-ohne-Diät-Kurse 39

Der Umgang mit den
beigelegten Materialien 40

Aller Anfang ist leicht......................... 41

Beginn mit der Protokollführung........... 41

Verhaltensregeln auf Klebeetiketten........... 43

Selbstkontrolle mit Hilfe
von zusätzlichen Protokollen 43

Informationen in Portionen 45

Richtig essen – aber wie?............................... 46

Energie... 46

   Richtwerte für die Energiezufuhr 48

   Grundsätzliches zur Energiezufuhr
   während der Gewichtsreduktion 51

   Sie sollen zukünftig mehr essen,
   aber das Richtige!....................................... 54

Fett... 57

   Tipps zum Fettsparen 63

   Unsichtbares Fett sichtbar gemacht!............ 65

Kohlenhydrate –
die Kraft- und Energiespender......................... 70

   Süßstoffe und Zuckeraustauschstoffe 74

   Kein Ballast durch Ballaststoffe!.................. 76

Eiweiß 79

Vitamine, Mineralstoffe
und Spurenelemente 83

   Übersicht Vitamine...................................... 84

   Übersicht Mineralstoffe
   und Spurenelemente.................................... 88

Sonstige Schutzstoffe der Nahrung –
bioaktive Substanzen...................................... 92

   Bioaktive Substanzen im Überblick.............. 93

Flüssigkeitszufuhr... 94

Allgemeine Tipps zur Ernährung 97

Ernährungs-Check 99

Ohne Bewegung geht nichts.................... 101

Bewegung steigert nicht nur
den Energieverbrauch! 102

   Kalorienverbrauch....................................... 104

   Schlank-ohne-Diät-Tipps
   für die Bewegung... 114

Geeignete Sportarten für das Abnehmen
aus orthopädischer Sicht................................... 115

Das Verhalten bestimmt den Erfolg 119

Hilfe für den Alltag... 120

   Entspannung.. 120

   Freizeitkalender.. 125

   Konstruktives Ablehnen................................ 126

   Fähigkeit zum Glücklichsein erwerben –
   Wege zum „Flow" 128

Spezielle Tipps & Tricks 129

Gewusst wie... 130

Vorwort

Ein Zuviel an Körpergewicht ist in allen Industrieländern ein Problem. Ständig steigt die Zahl der Übergewichtigen und die damit verbundenen gesundheitlichen Risiken. Unzählige Diäten, viele spezielle Nahrungsergänzungsmittel und sonstige Produkte werden immer wieder als Wundermittel propagiert. Sie versprechen großen Erfolg ohne Mühe oder Anstrengungen. Oftmals kommt es auch zu einer kurzfristigen Gewichtsreduktion, aber letztendlich nimmt man das abgenommene Gewicht wieder zu.

Schlank ohne Diät ist keine neue Diät-Sensation, sondern ein Programm, das sich bereits seit Jahren bestens bewährt hat. Das Ziel besteht in einer langfristigen Umstellung der Ernährungsgewohnheiten. Man lernt durch Selbstanalyse des Essverhaltens die Ursachen für die Gewichtsprobleme kennen und kann dann mit gezielten Verhaltensregeln die Nahrungsaufnahme positiv steuern. Auf strenge oder einseitige Diätempfehlungen wird verzichtet, es gibt keine Verbote, sondern der richtige Umgang mit »problematischen« Lebensmitteln steht im Vordergrund. Das Motto lautet: Das richtige Essen genießen!

Bei der Entstehung von Gewichtsproblemen spielt neben der Ernährung und den gesundheitlichen Aspekten auch die psychologische Seite eine große Rolle. Essen dient ja nicht nur als Zufuhr von Energie, sondern kann auch beispielsweise trösten oder beruhigen. Alle diese Komponenten werden im Buch ausführlich behandelt und zahlreiche Schlank-ohne-Diät-Tipps helfen, die Ernährung so zu gestalten, dass man im ersten Schritt Gewicht abnimmt und dieses aber auch langfristig halten kann.

Wir wünschen allen Lesern/-innen viel Erfolg!

Univ.-Prof. Dr. Rudolf Schoberberger

Univ.-Doz. Mag. Dr. Ingrid Kiefer

Univ.-Prof. Dr. Michael Kunze

Übergewicht

hat viele Ursachen

Warum wird man dick?

Übergewicht ist die Folge eines Ungleichgewichtes zwischen der Energieaufnahme und dem Energieverbrauch. Dem Körper wird also viel mehr Energie zugeführt, als er eigentlich braucht. Dieses Zuviel an Energie wird im Körper zu körpereigenem Fett umgewandelt und in den Fettzellen (= Adipozyten) gespeichert **(= positive Energiebilanz).**

Die Fettspeicherung im Körper erfolgt auf zwei Wegen:

- durch Zunahme der Fettzellen (Hyperplasie),

- durch Zunahme des Fettgehaltes in den einzelnen Fettzellen (Hypertrophie).

Ist man früher davon ausgegangen, dass man nur in der Kindheit (1. – 3. Lebensjahr, 7. Lebensjahr, Pubertät) Fettzellen zunehmen kann, weiß man heute, dass im Allgemeinen bei jeder Körperfettvermehrung sich Fettzellen füllen, aber auch neu bilden. Jede Fettzelle (Adipozyt) hat offenbar eine begrenzte Speicherkapazität. Wenn diese ausgeschöpft ist, wird die Bildung neuer Fettzellen aus Vorstufen (Präadipozyt) angeregt. Wahrscheinlich ist die Zahl der Fettzellen genetisch vorgegeben. Aber auch Menschen mit normaler Fettzellenzahl können, wenn sie sich auf Dauer überernähren, fettsüchtig werden.

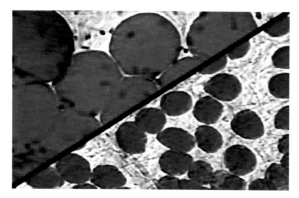

Volle und leere Fettzellen

Sowohl Größe als auch Anzahl der Fettzellen stehen auch unter hormonellem Einfluss. Frauen haben im Vergleich zu Männern mehr Fettzellen (ein Mann mit 1,80 m Größe und 72 kg hat rund 17,5 Mrd. Fettzellen und eine Frau bei 1,71 cm Körpergröße und 64 kg jedoch 41,4 Mrd.).

Endlager Fettgewebe

Eine Fettzelle ist relativ klein und wiegt nur bis zu 9 µg. Durch die Fetteinlagerung können sie um das 200fache anwachsen. Beim Abnehmen schmilzt man das abgelagerte Fett sozusagen wieder ein und die Fettzelle wird wieder kleiner. Da das Fettgewebe insofern aktiv ist, dass es auch Botenstoffe bildet, die entweder dem Hirn »Danke, ich bin satt« oder »Hunger, Hunger, brauche dringend Nachschub« signalisieren, kommt es im Laufe der Gewichtsreduktion immer mehr zu Hungersignalen ans Gehirn. Je kleiner die Fettzelle wird, desto mehr »wehrt« sie sich. Hungerattacken quälen nun jeden Abnehmwilligen.

Einmal ausgebildete Fettzellen bleiben trotz Gewichtsverlust vorhanden und können nur mehr ihre Größe verändern. Sie lauern sozusagen nur darauf, dass sie wieder größer werden können.

Energiereserve Depotfett

Das gespeicherte Fett (= Depotfett) ist unsere Energiereserve. Dies ist ein ganz wichtiger Prozess um bei Nahrungsmangel überleben zu können. Bei einem Normalgewichtigen mit einem Körperbestand von 15 kg Fett wären theoretisch 13 kg verfügbar. Dies entspricht einer Energiereserve von über 100.000 kcal. Wird der verfügbare Energiegehalt vom Speicher der Kohlenhydrate (= Glykogen) und von den Eiweißstoffen vorwiegend aus der Muskulatur noch dazugerechnet, kommt man in Summe auf eine verfügbare Energiereserve von 114.000 kcal. Damit könnte diese Person ohne Nahrungsaufnahme rund 57 Tage überleben. Jemand mit massivem Übergewicht (mit 85 kg Körperfett) hat in Summe 760.000 kcal Energiereserven und damit eine durchschnittliche Überlegensdauer bei Nahrungskarenz von 380 Tagen.

Mögliche Ursachen für die Entstehung von Übergewicht

Die Entstehung des Übergewichtes hat viele **Ursachen.** Sowohl genetische (Vererbung) als auch eine Reihe von psychosozialen Faktoren (z. B. Essverhalten, besondere Lebenssituationen) sind für die positive Energiebilanz und die daraus resultierende vermehrte Form der Fettspeicherung verantwortlich.

In den letzten Jahren wird intensiv geforscht um den Ursachen tatsächlich auf den Grund zu gehen. Versuche bei Tieren, hauptsächlich bei Mäusen, haben in der jüngsten Vergangenheit immer wieder dafür gesorgt zu glauben, nun endlich die Ursache und damit auch effiziente Behandlungsmethoden gefunden zu haben.

So wurde beispielsweise bei Mäusen ein Gendefekt gefunden, der verantwortlich ist, dass Mäuse bei entsprechender Fütterung stark übergewichtig werden. Leider konnten diese Ergebnisse nicht auf den Menschen übertragen werden.

Maus mit defektem und
Maus mit intaktem Leptin-Gen.

Übergewicht hat viele Ursachen!

Vererbung

Untersuchungen haben gezeigt, dass Übergewicht mindestens zu einem Drittel durch die Gene eines Menschen verursacht wird. Es ist ja schon lange bekannt, dass innerhalb von Familien das Übergewicht häufiger vorkommt. Wenn aber Untersuchungen zeigen, dass auch die Haustiere ihr Gewichtsverhalten dem Besitzer anpassen, wird wieder klar, dass die Umwelt einen erheblichen Einfluss auf das Körpergewicht hat.

Es ist sehr wahrscheinlich, dass der Energieverbrauch in Ruhe (siehe Grundumsatz) zu einem gewissen Grad erblich festgelegt ist. Dies ist auch der Grund, warum Menschen bei gleicher Kalorienzufuhr völlig unterschiedlich mit ihrem Gewicht reagieren (zunehmen, abnehmen oder auch Gewicht halten).

Bei stark übergewichtigen Personen ist ein vererbter reduzierter Grundumsatz sehr häufig die Ursache für das Gewichtsproblem.

Dafür sprechen auch Untersuchungen an Zwillingen. Getrennt aufwachsende eineiige Zwillinge haben ein fast identisches Körpergewicht, das dem der leiblichen Mutter sehr ähnlich ist.

Das Risiko im Bauchbereich zuzunehmen (= Bierbauch) wird im höheren Ausmaß vererbt als im Bereich der Hüften.

Störungen im Essverhalten

Übergewichtige essen sehr oft häufiger und schneller als normalgewichtige Personen. Sie lassen sich aber auch öfter durch äußere Reize zum Essen verführen. So können Signale aus der Umwelt Appetit auslösen. Schon der Geruch von Speisen genügt um »hungrig« zu werden, aber auch eine bestimmte Uhrzeit kann das Verlangen nach Nahrungsaufnahme signalisieren.

Sehr oft ist auch das Sättigungsgefühl gestört. Dieses stellt sich viel später ein, man isst unweigerlich zu viel.

Psychologische Gründe

Essen ist ja bekanntlich mehr als nur die Aufnahme von Energie. Man isst ja nicht, um den Körper mit allen wichtigen Nährstoffen zu versorgen, sondern Essen hat noch viele Gründe (siehe auch Esstypen). Sehr oft wird aus Kummer, Angst, Stress, Langeweile, Frustration u. v. m. gegessen. Sehr oft wird ja auch das eine oder andere Kilo zu viel als Kummerspeck bezeichnet. Essen stellt hier eine Ersatzhandlung dar.

Zunehmendes Alter

Mit dem Älterwerden braucht der Körper immer weniger Kalorien. Wird die Energiezufuhr diesem verminderten Bedarf nicht angepasst, steigt das Körpergewicht stetig an.

Bewegungsarmut

Im Laufe der letzten Jahrzehnte ist es bei uns zu einer stetigen Abnahme des Energieverbrauches gekommen. Vor allem die zunehmende technologische Entwicklung und die damit verbundene Automatisierung der Arbeitsvorgänge sind für den Rückgang des Energieverbrauches stark verantwortlich. In den letzten 20 bis 30 Jahren ist der Anteil der Energie, die für Bewegung aufgebracht wird, um durchschnittlich 200 bis 400 kcal pro Tag zurückgegangen.

Medikamente

Es gibt eine Reihe von Medikamenten, die auch zu einer Gewichtszunahme führen können. Dazu gehören z. B. Antidepressiva, Neuroleptika, Hormone (Insulin, Kortison, Testosteron, Östrogene).

Hormone

Hormone haben tatsächlich einen Einfluss auf den Körperstoffwechsel. So erhöht beispielsweise das Neuropeptid Y genauso wie andere Hormone den Appetit, sie spielen damit eine sehr wichtige Rolle bei der Entstehung von Übergewicht.

Auch Insulin kann in überhöhten Dosen eine Gewichtszunahme zumindest begünstigen. Insulin ist notwendig, dass im Fettgewebe, in der Muskulatur und Leber der Brennstoff Glukose verwertet werden kann. Dieses Hormon sorgt in den Fettzellen für die Aktivierung von Enzymen, die zur Umwandlung von Glukose in Fett notwendig sind und es hemmt den Fettabbau.

Bei den Östrogenen, Testosteron, Gestagenen und anderen Steroiden wird die Fett-Umverteilung im Körper mehr als eine vermehrte Fetteinlagerung an sich beeinflusst. Die weiblichen Sexualhormone begünstigen Fettansammlungen an den Hüften und an den Oberschenkeln.

Andere Grundkrankheiten

In sehr seltenen Fällen kann eine andere Krankheit dazu führen, dass man an Körpergewicht zunimmt. Beispielsweise führen eine Hypothyreose (Unterfunktion der Schilddrüse) oder spezielle Krankheiten (Morbus Cushing, Stein-Leventhal-Syndrom) zu Übergewicht.

schlank ohne Diät

Diäten machen dick!

Ein Risiko das Körpergewicht immer weiter zu er-höhen ist auch durch einseitige und sehr drastische Diäten gegeben. Isst man sehr wenig, schaltet der Körper sozusagen auf Sparflamme (= der Grund-umsatz sinkt) und verbraucht einfach weniger. Dies ist ein Mechanismus der früher und heute noch in Ländern mit wenig Nahrungsangebot ein wichtiger Faktor fürs Überleben ist. Der Körper richtet sich auf eine »Hungersperiode« ein. Beendet man die nied-rige Energiezufuhr, stellt sich der Körper aber nicht sofort wieder um. Man muss jetzt weniger essen, um nicht weiter oder auch wieder zuzunehmen.

Es gibt aber auch Diäten, die die Zufuhr von Eiweiß verbieten. Da muss der Körper auf körpereigene Reserven (= Muskeleiweiß) zurückgreifen. Es wird zwar laut Waage schon abgenommen, da der Muskel schwerer als Fett ist und jede Muskelzelle auch noch Wasser speichert, doch sinkt auch wieder der Energiebedarf, da die Muskelmasse Energie verbraucht. Also Hände weg von Diäten, insbeson-dere wenn Sie einseitig sind und viel versprechen. Denken Sie daran und tappen Sie nicht wieder in die nächste Diätfalle: Diäten machen dick und ruinieren die Figur!

Falsches Essverhalten

Hauptursache für die Entstehung von Fettpölster-chen ist ein falsches Essverhalten. Wird zu viel En-ergie, hauptsächlich durch zu viel Fette oder auch Zucker gegessen, werden diese überschüssigen Ka-lorien in Fett umgewandelt und gespeichert. »Fett macht fett« ist hier das Schlagwort (Siehe Seite 57).

> Es gibt verschiedenste Ursachen für Gewichts-probleme. Alter und Erbanlagen lassen sich aber nicht beeinflussen, sehr wohl aber die übermäßige Nahrungszufuhr, das falsche Ess-verhalten, Bewegungsmangel oder psychische Faktoren. Das Programm »Schlank ohne Diät« soll Ihnen helfen Ihr Gewicht zu reduzieren und anschließend auch zu halten!

Risiko Übergewicht

Übergewicht ist ein Risiko für viele Erkrankungen

Je höher das Körpergewicht ist, desto größer ist die Wahrscheinlichkeit eine Begleit- und Folgeerkran-kung zu erleiden, die nicht nur die Lebensqualität, sondern auch die Lebenserwartung beträchtlich einschränken können. Bei einer Gewichtszunahme von 10 bis 20 kg steigt die Gesamtsterblichkeit be-reits um 20 %.

Typische Begleit- und Folgeerkrankungen sind: Di-abetes mellitus Typ II, Fettstoffwechselstörungen, Bluthochdruck, Gallenblasenerkrankungen, Kurz-atmigkeit, Schlafapnoe, Herz-Kreislauf-Erkrankun-gen, Arthrosen an der Wirbelsäule, am Hüft- und Kniegelenk, Hyperurikämie und Gicht, erhöhtes Operationsrisiko und auch einige Krebserkrankun-gen (Gebärmutterkrebs, Brustkrebs, Darmkrebs). Zusätzlich kann es zu Schwangerschaftskompli-kationen, aber auch zu Atemnot und verstärkter Schweißbildung kommen.

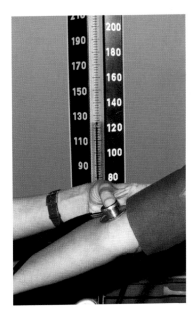

Übergewicht und eine hohe Zufuhr von Kochsalz und Alkohol be-günstigen die Entstehung des Bluthochdrucks.

Übergewicht belastet!

Herz-Kreislauf-Erkrankungen

Diabetes mellitus II

Fettstoffwechsel-störungen

Gicht

Bluthochdruck

Krebs (z. B. Brust-, Darm-)

Gallensteine

↓ Beweglichkeit
↓ Ausdauer

erhöhtes Operationsrisiko

Belastung des Bewegungsapparates

Durch eine Gewichtsreduktion kommt es zu einer Abnahme des Risikos für viele Erkrankungen. Bereits ab 10 kg minus verbessert sich die gesundheitliche Situation beträchtlich. Studien belegen, dass die Sterblichkeit von Herz-Kreislauf-Erkrankungen und Krebserkrankungen um 25 % abnimmt. Wer zwischen 5 und 11 kg abnimmt, halbiert damit sein Diabetesrisiko. Nimmt man über 20 kg ab, kann dieses sogar auf ein Achtel reduziert werden.

Jedes Kilo zählt!

10 Kilogramm Gewichtsabnahme bewirken:

▓ 20 % weniger Todesfälle,

▓ Reduktion des systolischen Blutdruckes um 20 mmHg,

▓ Reduktion des diastolischen Blutdruckes um 10 mmHg,

▓ niedrigere Nüchtern-Blutzucker-Werte von 50 mg/dl,

▓ niedrigeres Gesamtcholesterin von 10 %,

▓ niedrigeres LDL-Cholesterin von 15 %,

▓ höheres HDL-Cholesterin von 8 %,

▓ niedrige Triglyzeridspiegel von 30 %.

schlank ohne Diät

Körpergewicht – Körperfett

Wie viel sollte man wiegen?

Zur Definition des Körpergewichtes wird der **Body-Mass-Index** herangezogen (BMI = Körpergewicht in kg, dividiert durch Körpergröße in Meter zum Quadrat).

BMI: $\dfrac{\text{Körpergewicht in kg}}{\text{Körpergröße in m}^2}$

- BMI zwischen 18,5 und 24,9 kg/m^2
  = Normalgewicht

- BMI zwischen 25,0 und 29,9 kg/m^2
  = Übergewicht

- BMI zwischen 30,0 und 39,9 kg/m^2
  = schweres Übergewicht / Adipositas / Fettsucht

- BMI ab 40 kg/m^2
  = extremes Übergewicht / morbide Adipositas / massive Fettsucht

Beispiel: Ein Mann ist 180 cm groß und hat 101 kg.

Sein BMI ist 31,2 kg/m^2 (1,80 x 1,80 = 3,24; 101 : 3,24). Er ist bereits schwer übergewichtig.

Das Gewicht sagt noch nichts über den Körperfettanteil aus.

Da es sich beim Body-Mass-Index um einen Index handelt, der Körpergröße und Körpergewicht beinhaltet, kann damit aber keine Aussage über den tatsächlichen Fettgehalt des Körpers gegeben werden.

Jeder Bodybuilder ist nach dieser Definition auch schwer übergewichtig, da durch die große Muskelmasse auch das Körpergewicht steigt.

Welchen Einfluss haben schwere Knochen auf das Gewicht?

Der Anteil des menschlichen Skelettes am Körpergewicht beträgt zwischen 17 und 18 Prozent. Eine 60 kg schwere Person hat demnach 10 bis 11 Kilo Knochengewicht.

Die Obergrenze des Skelettgewichtes beim Erwachsenen liegt bei 13,5 kg, wobei Abweichungen nach oben bis zu höchstens 3 Kilogramm möglich sind. Aber 2 bis 3 kg sind noch lange nicht für zu viel Gewicht, sprich Übergewicht, verantwortlich.

Entscheidend ist natürlich der **Körperfettgehalt.** Dient der BMI eigentlich nur zur groben Klassifizierung, sagt der Körperfettanteil ganz genau aus, wie hoch der Fettgehalt im Körper ist. Dieser kann mit bioelektrischer Impedanz, Infrarot oder durch Messung der Hautfaltendicke bestimmt werden. Frauen haben generell einen höheren Körperfettanteil als Männer.

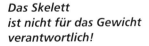

Das Skelett ist nicht für das Gewicht verantwortlich!

Folgende Richtlinien gelten:

	Frauen	Männer
dünn	< 20 %	< 10 %
normal	zwischen 20 % – 30 %	zwischen 10 % – 19,9 %
beleibt	zwischen 30 % – 34,9 %	zwischen 20 % – 24,9 %
zu hoch	zwischen 35 % – 40 %	zwischen 25 % – 30 %
viel zu hoch	> 40 %	> 30 %

Messung des Körperfettanteils – Was sollte beachtet werden?

Hautfaltenmessung

Mit einer speziellen Zange (= Kaliber) werden am Körper an verschiedenen Stellen die Hautfalten gemessen. Die Werte werden addiert und von dieser Summe wird auf den Körperfettanteil geschlossen. Diese Messung ist sehr einfach, birgt aber auch die Gefahr möglicher Messfehler. So muss richtig gedrückt werden und die Dicke muss relativ rasch abgelesen werden. Je weniger Messpunkte in die Rechnung eingehen, umso ungenauer wird das Ergebnis. Für eine genaue Messung bedarf es einiger Übung.

Infrarot-Reflexionsmessung – IR

Hier ist die Basis die unterschiedliche Absorption von Infrarot-Strahlung. Gemessen wird mit einem optischen Messstab am Oberarm (Bizeps) des dominanten Armes. Der Messstab sendet Infrarotstrahlen aus, welche vom Fett absorbiert und von der fettfreien Masse reflektiert werden. Ein Sensor misst die reflektierte Strahlung. Aus dem gemessenen Wert wird unter Berücksichtigung von Alter, Trainingszustand, Geschlecht, Körpergewicht und Knochenbau auf die Körperzusammensetzung geschlossen. Von Vorteil ist, dass die Messung jederzeit durchgeführt werden kann (vor oder nach dem

Essen oder Trinken, vor oder nach dem Sport, morgens, abends usw.) und dass neben dem Körperfettgehalt in % und kg, auch die fettfreie Masse in kg und der Flüssigkeitsgehalt in % und kg angegeben werden. Mögliche Messfehler entstehen, wenn der Stab zu fest angedrückt wird oder wenn Licht zum Messstab gelangt. Ungenaue Ergebnisse ergeben sich auch durch falsche Angaben (Trainingsdauer, -intensität).

Bioelektrische Impedanzanalyse – BIA

Bei dieser Form der Körperfettmessung werden Elektroden auf die Hände und Füße geklebt und ein schwacher, nicht spürbarer elektrischer Strom wird durch den Körper geleitet. Der gemessene elektrische Widerstand (= Impedanz), den der Körper dem Stromfluss entgegenbringt, gibt Aufschluss über Muskel- und Organmasse, Fettgewebe und Wassergehalt. Aus dem gemessenen Widerstand wird mit Hilfe von Formeln, die Körpergröße, Körpergewicht, Geschlecht und Alter berücksichtigen, die Körperzusammensetzung ermittelt.

Um zuverlässige Ergebnisse zu erhalten, müssen bei den Messungen immer gleiche Bedingungen eingehalten werden.

Ein Alkoholkonsum innerhalb der letzten 24 Stunden, ein voller Magen oder auch eine gefüllte Harnblase kann zu falschen Werten führen.

Messungen nach intensiverem Training oder während der Menstruation sind nicht aussagekräftig.

Im Handel erhältliche Körperfettmessgeräte (z. B. Körperfettwaagen) basieren auf dem BIA-Verfahren. Auch hier gilt: immer zur gleichen Zeit unter den gleichen Bedingungen zu messen, damit man vergleichbare Ergebnisse bekommt. Bei den Körperfettwaagen hat man beispielsweise in der Früh immer niedrigere Werte als am Abend. Der Unterschied kann während eines Tages bis zu 5 % Körperfett betragen.

Ganz egal mit welcher Methode der Fettanteil gemessen wird, sie sind meist miteinander nicht vergleichbar. Benutzen Sie deshalb immer die gleiche Mess-Methode. Es ist wie bei den Waagen. Sie können sich auf 10 verschiedene stellen und auch 10 verschiedene Gewichtsangaben bekommen. Sehen Sie die gemessenen Werte immer nur als Richtwerte, die Ihnen aber helfen, Ihre Gewichtsreduktionserfolge zu beobachten.

ACHTUNG

Auch sehr schlanke Personen können einen zu hohen Körperfettanteil (in %) haben! Der Grund liegt in der niedrigen fettfreien Körpermasse. Diese Personen müssen aber nicht abnehmen, sondern mehr Sport betreiben, damit die fettfreie Masse (= u. a. Muskelmasse) erhöht wird. Damit sinkt der prozentuelle Körperfettanteil.

Die Kontrolle des Körperfettanteils hilft mit richtig abzunehmen!

Wenn Sie vernünftig abnehmen und alles richtig machen (= etwas anders essen und mehr Bewegung machen), werden Sie am Anfang auf der Waage kaum einen Erfolg sehen. Sie bauen zwar Fett ab, gleichzeitig aber auch etwas Muskelgewebe auf.

Dieses ist aber schwerer als Fettgewebe. In Summe bleibt das Körpergewicht fast unverändert, eigentlich sehr frustrierend. Messen Sie aber Ihren Körperfettanteil, merken Sie, dass zwar das Körpergewicht gleich bleibt oder nur sehr wenig abnimmt, der Körperfettanteil (in % und kg) jedoch bereits reduziert wird. Also kein Grund zur Sorge, ganz im Gegenteil: Sie nehmen jetzt richtig ab!

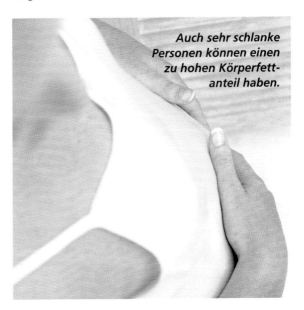

Auch sehr schlanke Personen können einen zu hohen Körperfettanteil haben.

Wenn Sie keine Möglichkeit zu einer Körperfettmessung haben, können Sie auch ein enges Kleidungsstück zur Kontrolle heranziehen. Wenn der Bund der Hose oder des Rockes weiter wird, obwohl der Erfolg auf der Waage kaum zu sehen ist, dann sind Sie auf dem richtigen Weg.

Weniger Gewicht, aber mehr Körperfett – warum?

Was passiert, wenn das Körpergewicht auf der Waage weniger wird, der Körperfettanteil aber nicht sinkt, sondern vielleicht im Gegenteil noch steigt?

Dies geschieht, wenn Sie falsch abnehmen, d. h. wenn Sie Muskelmasse abbauen und nicht Fett.

Diesen Effekt haben Sie bei sehr einseitigen ei-weißarmen Diäten, bei denen der Körper auf die körpereigenen Eiweißreserven (= Muskelmasse) zurückgreifen muss. Deshalb ist es besonders wichtig, dass ausreichend Eiweiß gegessen wird (siehe Kapitel Eiweiß, Seite 79), um die fettfreie Masse zu erhalten.

Bei schwer übergewichtigen Personen ist das nicht so leicht möglich. Wenn diese ihr Körpergewicht reduzieren, nimmt automatisch auch der Muskelanteil ab. Man muss sich vorstellen, dass ja durch die Last des Gewichtes einiges an Muskeln vorhanden sein muss. Wird der Körperfettanteil um 10 – 20 kg reduziert, muss auch weniger »getragen« werden. Mit gezielten Kräftigungsübungen kann dies aber in einem »normalen« Rahmen gehalten werden.

Schlank ohne Diät
TIPP

Denken Sie immer daran:
1 kg Körperfett entspricht 4 Packungen Butter (à 250 g)! Und vier Packungen Butter weniger um die Hüften ist schon eine ganze Menge!

Auf die Fettverteilung kommt es an!

Neben dem Körperfettgehalt ist auch ausschlaggebend, wo das Fett am Körper sitzt. Ist die Fettvermehrung hauptsächlich im Bereich des Bauches, spricht man von androider oder viszeraler Form oder umgangssprachlich vom **Bierbauch (= Apfel-Typ).**

Dieses gespeicherte Körperfett ist metabolisch sehr aktiv und stellt ein großes Risiko für Begleit- und Folgeerkrankungen (Herzkrankheiten, Schlaganfälle, Bluthochdruck, Zuckerkrankheit und Fettstoffwechselstörungen) dar. Es hat aber den Vorteil, dass es leichter abzunehmen ist.

Diese Form der Fettverteilung findet man bei ca. 80 % der Männer.

Liegen die Fettpölsterchen im Bereich der Hüften und der Oberschenkel, spricht man von der **Birnenform** oder auch gynoiden oder femoralen Form.

Dieses Körperfett stellt kein so großes Risiko dar, lässt sich jedoch viel schwerer abnehmen. Der Grund dafür dürfte im Hormonhaushalt liegen.

Ihr Risiko bestimmt der Taillenumfang!

Man kann das sehr einfach bestimmen: Nehmen Sie ein Maßband und messen Sie Ihre Taille (Umfang beim Bauchnabel).

- Bei Männern sollte der Umfang kleiner als 102 cm sein.
- Bei Frauen sollte der Umfang kleiner als 88 cm sein.

Männer nehmen leichter ab!

Männer haben zwar häufiger das höhere Risiko durch Übergewicht, nehmen aber auch leichter ab als Frauen. Die verstärkten Fettpolster im Bauchbereich reagieren schneller auf Fett abbauende Reize und verringern Größe und Gewicht rascher als Fettzellen in anderen Körperregionen. Zudem haben sie einen höheren Energiebedarf als Frauen und können somit, bei gleicher Energiezufuhr wie Frauen, mehr Gewicht reduzieren.

Nur Männer versuchen wesentlich seltener als Frauen ihr Übergewicht zu reduzieren. Sie sind mit ihrem Gewicht, auch wenn es zu hoch ist, eher zufrieden, ebenso wie mit ihren Ernährungsgewohnheiten.

Essverhalten

Die Nahrungsaufnahme orientiert sich am Bedarf des Organismus und den Bedürfnissen des Menschen. Diese beiden Aspekte müssen nicht immer im Einklang stehen und unterliegen verschiedenen Einflüssen. Durch Analyse seines eigenen Essverhaltens können diese Einflüsse erkannt werden und es besteht die Möglichkeit, Veränderungen durchzuführen.

Wenn man das Essen oder Trinken als erlerntes Verhalten betrachtet, so meint man, dass ohne besonderen Bedarf des Organismus – also ohne Hunger- oder Durstgefühl – zu Essbarem oder Getränken gegriffen wird: aus Gewohnheit, um etwas »Bestimmtes« zu erreichen oder aus einer Art Nachahmungstrieb heraus, weil andere auch gerade etwas essen oder trinken.

Hunger- oder Durstgefühl löst einen unangenehmen Spannungszustand aus, der durch Aufnahme von Nahrung oder Trinken abgebaut werden kann. Die Sättigung oder das Wegfallen des Durstgefühls stellt einen Verstärker, eine Belohnung, dar: Der Bedarf des Organismus ist gedeckt und Wohlbefinden stellt sich ein. So funktioniert auch der äußerst sinnvolle angeborene Mechanismus, der uns veranlasst, die entsprechenden »Vitalstoffe« zuzuführen und so unser Leben aufrechtzuerhalten.

Der Einfluss des Verhaltens auf das Körpergewicht

Sehr häufig werden aber bereits beim Säugling nicht nur die unangenehmen Gefühle von Hunger und Durst, sondern auch andere Unbehagensäußerungen mit Nahrung beantwortet. Es wird also gelernt, Angst, Alleinsein oder Langeweile mit Hunger gleichzusetzen. Der entsprechende Bewältigungsmechanismus, der sich bis ins Erwachsenenalter erhalten kann, heißt »Essen« oder »Trinken«. In diesem Fall werden bestimmte Bedürfnisse des Menschen abgedeckt, wobei zu klären wäre, ob nicht andere Methoden hilfreicher – und vor allem ohne den Nebeneffekt »zu viel zu essen« und dadurch zuzunehmen – sein könnten.

Man kann also davon ausgehen, dass Übergewichtige deshalb mehr an Gewicht haben, als sie es haben sollten oder möchten, weil sie sich an ein »ungünstiges Ernährungsverhalten« gewöhnt haben.

»Ungünstig« kann vieles bedeuten, wie etwa

- eine regelmäßig zu hohe Energieaufnahme, d. h. die täglich verzehrten Nahrungsmittel haben zu viel Energie sprich Kalorien,

- zu geringe körperliche Aktivitäten im Vergleich zur Nahrungsaufnahme, d. h. es werden jeden Tag durch Nahrung mehr Kalorien aufgenommen, als durch die Arbeit und Bewegung verbraucht werden können,

- bestimmte Verhaltensweisen, die die Neigung zu Übergewicht unterstützen, wie z. B. hastiges Essen, unkontrolliertes Essen zwischen den Mahlzeiten, Naschen oder Knabbern beim Fernsehen etc.

Beim **Schlank-ohne-Diät**-Programm soll vorerst jeder Abnehmwillige seine eigenen »Fehler« selbst herausfinden. Dazu helfen Protokollkarten für das Ess- und Trinkverhalten sowie für körperliche Bewegungsaktivitäten.

In diesem Zusammenhang wird man erkennen, dass der Nahrungsaufnahme auch noch ganz andere Beweggründe zugrunde liegen können, wie etwa

- kulturelle Einflüsse: Kuchen und Kaffee zur Nachmittagsjause,

- Tradition: Weihnachtsgans,

- budgetäre Überlegungen: Sonderangebote,

- Fitnessgedanken: Müsli,

- magische Zuweisungen: Sellerie zur Potenzsteigerung,

- Prestige: Freunde laden wir zu Hummer ein.

Die Kultur bestimmt das Essverhalten.

Es gilt, seine eigenen persönlichen Motive zur Nahrungsaufnahme zu erkennen, die jeweiligen »Auslöser« fürs Essen oder Trinken zu finden und darauf aufbauend solche Veränderungen einzuleiten, die zu einer Gewichtsverringerung und später zur Gewichtsstabilisierung führen, ohne sich negativ auf die allgemeine Lebenszufriedenheit auszuwirken.

Esstypen

Erlerntes Essverhalten führt dazu, dass jeder Mensch so seine eigenen Gewohnheiten aufbaut. Diese unterschiedlichen Essstile prägen dann auch so manche Esstypen, also Personen, die ganz bestimmte Eigenschaften im Zusammenhang mit der Nahrungsaufnahme entwickelt haben. Diese Esstypen werden geschlechtsneutral beschrieben, d. h. obwohl jeweils die »männliche Form« angeführt ist, können sowohl Männer als auch Frauen dem jeweiligen Esstyp entsprechen. Wichtig wird es nun sein, seine persönlichen typischen Verhaltensweisen zu erkennen, deren Ursachen zu erforschen und gegebenenfalls durch entsprechendes Umlernen Modifikationen vorzunehmen.

Was soll durch die Nahrungsaufnahme bezweckt werden?

Nicht immer ist es der Hunger, also der Bedarf des Organismus, der Essverlangen auslöst. Häufig orientiert man sich nach sehr persönlichen Bedürfnissen und möchte etwas ganz Bestimmtes damit erreichen. Das kann natürlich die Verlockung sein, durch eine besonders attraktiv zubereitete Speise, mit einem überwältigenden Duft und einem unbeschreiblich guten Geschmack, seinem dadurch entstehenden Appetit nachzugeben und auch dann zu essen, wenn man eigentlich keinen Hunger verspürt. Manche erwarten sich jedoch ganz andere Konsequenzen vom Essen, solche, die vielleicht vordergründig mit der Nahrungsaufnahme gar nichts zu tun haben. Im Folgenden sollen einige dieser Esstypen, die häufiger bei Übergewichtigen als bei Normalgewichtigen beobachtet werden können, etwas näher unter die Lupe genommen werden.

Schlinger oder Brodler

Manchmal kann man Menschen beobachten, die besonders hastig essen (Schlinger) oder sich irrsinnig lang Zeit dabei lassen (Brodler). Nun wie kann so ein außergewöhnliches Essverhalten entstehen? Erklärungen dazu mag es viele geben, aber es ist durchaus plausibel, dass diese Gewohnheit schon in der Kindheit entstanden ist. Vielleicht hat die Mutter dem Kind in einem Fall erklärt »Wenn du fertig gegessen hast, darfst du spielen gehen« und so den Grundstein für den Schlinger gelegt. In einem anderen Fall hat das Kind möglicherweise erfahren »Sobald du mit dem Essen fertig bist, wirst du dein Zimmer zusammenräumen« und wurde so

Der Schlinger

gibt, wie Sättigung entsteht, ist eines klar: Sie tritt mit einer gewissen Verzögerung auf. Erst nach etwa 15 bis 20 Minuten, nachdem man zu essen begonnen hat, können erste Signale wahrgenommen werden, die eine Sättigung ankündigen. Dieses durchaus angenehme Gefühl erleichtert es, Messer und Gabel wegzulegen und zufrieden sein Mahl zu beenden.

Ist man jedoch in kürzerer Zeit mit seinem Essen fertig, kann das Regulativ »Sättigung« gar nicht seine Wirksamkeit entfalten. Aber das Schlingen hat noch andere Nachteile, wie etwa einen Verlust an Genussempfinden. Dies entsteht dadurch, dass die Speisen sehr rasch, meist weitgehend unzerkaut, die Mundhöhle in Richtung Speiseröhre und Magen verlassen. »Schmecken« tut man aber nur im Mundbereich, wo sich die so genannten »Geschmackspapillen« befinden und jeder Speise durch die unterschiedliche Kombination von süß, bitter, salzig und sauer eine besondere Note geben.

Möglicherweise versucht dann der Schlinger den »Genuss« durch besonders intensiv schmeckende, oft besonders fett- oder kohlenhydratreiche Nahrungsmittel (z. B. Süßspeisen) nachzuholen. Sowohl das relativ unkontrollierte Essen auf Grund des fehlenden Sättigungseffektes als auch das Konsumieren von »intensiven« Nahrungsmitteln zum Ausgleich des verringerten Genussempfindens können zur Entstehung eines Übergewichts beitragen.

zum Brodler erzogen. Im ersten Fall wurde das Essverhalten dadurch verstärkt, dass eine Belohnung in Aussicht gestellt wurde (du darfst spielen gehen) und im zweiten Fall dadurch, dass man versucht hat, sich möglichst lang einer Bestrafung (das Zimmer zusammenräumen) zu entziehen.

Vieles, das wir in unserem Leben tun, hängt also von den zu erwartenden positiven oder negativen Konsequenzen ab – und so ist das auch bei der Ernährung. Etliche der Esstypen lassen sich nach diesem Muster erklären.

Die Frage, die sich nun stellt, welchen Einfluss hat ein bestimmtes Essverhalten – wie etwa das Schlingen oder das Brodeln – auf das Körpergewicht und insbesondere auf das Zunehmen?

Der Schlinger verspürt durch sein hastiges Essen während der Nahrungsaufnahme keinen Sättigungseffekt. Wenngleich es verschiedene Theorien

Schlank ohne Diät
TIPP

Lassen Sie sich beim Essen Zeit. Kauen Sie jeden Bissen ganz bewusst und versuchen Sie besonders auf die geschmackliche Komponente zu achten.

Beim Brodler wird eine fehlende Sättigungswirkung kaum eine Rolle spielen. Allerdings kann auch hier der Genuss eingeschränkt sein, wenn während

schlank ohne Diät

Der Brodler

Kohlenhydratesser

Eine Gier nach meist zuckerhaltigen Kohlenhydraten, im Volksmund auch »Schokoladesucht« genannt, kann verschiedene Ursachen haben.

Vielleicht hat man gelernt, sich vor allem mit Süßigkeiten zu belohnen. Für Personen, die zu wenig Anerkennung oder Zuwendung durch ihre Mitmenschen erleben, möge diese Art von Belohnungen besonders wichtig sein.

Aber auch Kummer und Sorgen können den Griff zu Schokolade, Keksen oder Torten fördern. Neben dem Gefühl, sich etwas Gutes zu tun, kann sich durch Zufuhr von Kohlenhydraten tatsächlich die Stimmungslage bessern.

Vorgänge im Gehirn – vor allem der Einfluss auf Botenstoffe wie Serotonin oder Dopamin – können die Stimmung aufhellen und depressive Phasen abschwächen.

Manche Menschen, die zu gedrückten Stimmungen neigen – oft jahreszeitlich (Winterdepression) oder situationsbedingt (prämenstruelles Syndrom) gehäuft – versuchen diese mit oft zunehmenden Mengen an Kohlenhydraten zu bekämpfen. Daraus kann sich tatsächlich so etwas wie ein »süchtiges Verhalten« entwickeln.

Als Untergruppen oder verwandte Esstypen der Kohlenhydratesser können die

■ Belohnungsesser

■ Kummeresser und

■ Stressesser

der Nahrungsaufnahme die Speise allmählich nicht mehr die richtige Temperatur aufweist und viel von ihrer Qualität verliert. Allerdings ist es meist günstiger, etwas langsamer und mit Bedacht zu essen, auf den Geruch und Geschmack der Speisen zu achten und dadurch nicht nur den Bedarf des Organismus zu decken, sondern auch die menschlichen Bedürfnisse nach »gutem« Essen zu befriedigen.

Lassen Sie sich beim Essen nicht durch andere Dinge ablenken. Zu langsam essen kann auch Nachteile haben: Das Essen wird kalt, man kommt zu nichts anderem, Mitmenschen zeigen dafür kein Verständnis,....

Im Folgenden werden weitere Esstypen beschrieben, die nach sehr ähnlichen Prinzipien ihr Verhalten erworben haben und aufrechterhalten. Vor allem sollen die im Zusammenhang mit dem Gewicht stehenden Nachteile erörtert werden.

gezählt werden. Bei diesen Esstypen müssen allerdings nicht immer Vorlieben für zuckerhaltige Speisen gegeben sein. Im Sinne des gelernten Verhaltens können auch andere Nahrungsmittel als Belohnung oder Seelentröster wirksam sein. Stressesser versuchen, ähnlich wie Kummeresser, mit übermäßigen Belastungen des Alltagslebens besser fertig zu werden. Bei zu hohen Arbeitsanforderungen, Zeitdruck oder sozialen Ängsten (»...sich nur ja nicht in dieser Gesellschaft blamieren...«) wird durch Essen eine Art »Beruhigung« erwartet.

Der Belohnungsesser

Der Kummeresser

Der Stressesser

Da der Konsum von Süßspeisen oder anderer Lebensmittel in größeren Mengen mit einer erhöhten Kalorienaufnahme verbunden ist, ist als Begleiteffekt eine Gewichtszunahme geradezu vorprogrammiert. Es wird daher wichtig sein, entweder andere Belohnungsstrategien zu entwickeln oder seine depressiven Stimmungen mit anderen Methoden zu bekämpfen. Dazu bieten sich durchaus günstige Möglichkeiten an, wie etwa regelmäßige sportliche Betätigung (siehe S. 101 ff.), Einsetzen von Entspannungsmethoden (siehe S. 120 ff.) oder Entwicklung der Fähigkeit zum Glücklichsein (siehe S. 128).

Besonders aufpassen müssen depressive Übergewichtige, die eine Gewichtsreduktion starten. Sofern sie keine Alternativen zur Verfügung haben, kann das Verlangen nach Kohlenhydraten besonders stark werden.

Diese »Diätdepression« kann die Gier nach Süßem unwiderstehlich machen. Die Befriedigung dieses Verlangens wird dann einen Erfolg bei der Gewichtsabnahme zunichte machen.

Resteverwerter

Der Resteverwerter, der sich mehr oder weniger gezwungen sieht, Speisen, die andere übrig lassen, zu verzehren, versucht mit seinem Verhalten auch etwas zu bezwecken. Es ist die »gute Tat«, die dahinter steckt: Denn Nahrungsmittel sind kostbar und müssen gegessen werden. Wenn es andere nicht tun, muss man dies halt selbst erledigen.

Schlank ohne Diät
TIPP

Überlegen Sie, womit Sie sich – außer zu essen – etwas Gutes tun können: um sich zu belohnen oder vielleicht mit Kummer, Sorgen oder Stress besser fertig zu werden. Schaffen Sie sich Ihre »Genussnische« – einen Raum im wörtlichen aber auch übertragenen Sinne, in dem es Ihnen gelingt, Freude, Lust, Entspannung etc. zu finden.

Der Reste-verwerter

Manchmal geht das so weit, dass etwa Mütter sagen, »...für mich bereite ich gar keine Mahlzeiten zu – die Kinder lassen ohnehin immer etwas übrig und das esse ich dann...«.

Nun der Nachteil dabei ist, dass vor allem einmal sehr unkontrolliert Nahrung aufgenommen wird. Man weiß ja nicht, wie viel andere übrig lassen werden.

Aber auch das, was andere nicht konsumieren, wird nicht gerade das Beste sein, was ursprünglich auf dem Teller war, wahrscheinlich schon etwas zerstochert aussehen und auch nicht mehr die richtige Temperatur haben. Wo soll da also der Genuss dabei sein? So wie beim Schlinger, nur hier aus einem anderen Grund, wird es diesbezüglich einen Nachholbedarf geben. Dieser wird dann häufig mit hoch kalorischen Lebensmitteln, meist Süßem, gedeckt.

Kühlschrankesser

Den ganzen Tag hat man keine Zeit oder nimmt sich nicht die Zeit dazu, etwas Vernünftiges zu essen.

Wenn man nach der Arbeit nach Hause kommt, führt der erste Weg zum Kühlschrank. Mit Heißhunger wird, ohne auf irgendeine Tischkultur zu achten, relativ unkontrolliert das gegessen, was man gerade findet.

Der Kühlschrankesser versucht also, ein fast unbändiges Essverlangen, das sich während des Tages allmählich aufbauen konnte – da ja kaum etwas gegessen wurde – zu stillen.

Kurzfristig wird der Zweck wahrscheinlich erfüllt sein, aber so richtige Zufriedenheit stellt sich nicht ein. Später wird es noch notwendig sein, ein ausgiebiges Mahl zu sich zu nehmen, da man ja ohnehin den ganzen Tag nichts gegessen hat.

Wo bleibt da die Tischkultur?

Der Kühlschrankesser

Es wäre also darauf zu achten, spätestens ab drei Stunden vor dem Zu-Bett-Gehen keine kalorienhaltigen Speisen oder Getränke mehr zu sich zu nehmen.

Der Abendesser

Dieses auf Grund des Heißhungers entstandene unkontrollierte Essen in Kombination mit der üppigen Abendmahlzeit kann sich über die Zeit als ungünstig herausstellen und zu Übergewicht führen.

In dieses Verhaltensmuster gehört weitgehend auch der

Abendesser

Allerdings liegt hier meist auch eine »Gewohnheitskomponente« zugrunde. Mit der Zeit ist es einfach üblich geworden, sehr spät seine Abendmahlzeit einzunehmen.

Wenn man sich dann auch noch sehr bald zur Ruhe begibt, kann sich dies ungünstig auf die Verdauung und den Schlaf auswirken. Wieder wird eine mögliche Gewichtszunahme begünstigt.

Schlank ohne Diät
TIPP

Kleinere Zwischenmahlzeiten wie ein Stück Obst oder ein Glas Buttermilch, eingeplant in den Tagesablauf, verhindern Heißhunger und damit unkontrolliertes Essen.

Wenn Essen zur Gewohnheit wird

Essen wird oft in Alltagssituationen eingebaut und gehört dann einfach zu bestimmten Verrichtungen des täglichen Lebens dazu.

Auch in diesem Zusammenhang lassen sich einige Esstypen beschreiben.

Berufsesser

Als Berufsesser kann man jene Personen bezeichnen, die durch die dauernde Beschäftigung mit Nahrungsmitteln, wie das etwa bei Köchen, bei Verkäufern in Lebensmittel- oder Gemüsegeschäften oder aber auch bei Hausfrauen der Fall sein wird, mehr oder weniger automatisch immer wieder zu Essbarem greifen.

Meist fällt ihnen das gar nicht auf und erst bei Kontrolle dieses Verhaltens erkennen sie, dass unter Umständen durch das ständige Kosten oder happenweise Essen mehr Energie aufgenommen wird, als durch Mahlzeiten.

Solch automatisierte Gewohnheiten können sich natürlich mit der Zeit ungünstig auf das Körpergewicht auswirken.

Mit diesem Esstyp verwandt ist der

Kantinenesser

Auf Grund seiner beruflichen Situation ist er in der Auswahl seiner Nahrungsmittel eingeschränkt. Er muss das akzeptieren, was der Speiseplan bietet. Aus Gewohnheit wird Tag für Tag das Kantinen-

Der Berufsesser

Der Kantinenesser

essen konsumiert – auch wenn man unter Umständen weiß, dass dies für einen selbst nicht so ideal ist. Und wenn einmal wirklich etwas nicht schmeckt, greift man zu einem – meist energiereichen – Snack, wie Leberkäsesemmel, Bratwurst oder Burger. Besonders gefährdet sind jene Kantinenesser, die mit Kollegen ihre Mahlzeit einnehmen, die meist noch einen »Nachschlag« einfordern.

Wenn man sich dann verleiten lässt – weil die anderen es ja auch tun – eine zweite Portion vom Dessert zu nehmen, kann dies des Guten zu viel sein.

Beim Berufs- und Kantinenesser sind Gewohnheiten entstanden, die von den Betroffenen gar nicht mehr registriert werden und daher zum Problem werden können. Oft genügt schon das berühmte »Aha-Erlebnis«, um diesen Automatismus zu unterbrechen.

Der Fernsehesser

Schlank ohne Diät
TIPP

Die beste Möglichkeit, seine Gewohnheiten zu überprüfen, ist das Essprotokoll. Tragen Sie immer ein Tagesprotokoll (siehe Schlank-ohne-Diät-Programm) mit sich und machen Sie bei jedem, auch noch so geringem Konsum von Nahrungsmitteln oder Getränken konsequenterweise eine Notiz.

Eine ganz gezielte Trennung der betroffenen »Alltagssituation« und der Nahrungsaufnahme kann die »Koppelung« auflösen.

Fernsehesser

Die Koppelung des Essens an ganz bestimmte Alltagssituationen kann häufig beobachtet werden. Als Beispiel sei hier der Fernsehesser genannt, für den die Knabbereien oder Süßigkeiten einfach beim Fernschauen dazugehören. Wieder handelt es sich, so lange man sich dessen nicht bewusst ist, um ein relativ unkontrollierbares Verhalten.

Schlank ohne Diät
TIPP

Wählen Sie in Ihrem Wohnbereich Ihren Essplatz so, dass Sie keine Möglichkeit haben, gleichzeitig fernzusehen. Essen Sie, wenn Sie zu Hause sind, nur auf diesem Essplatz.

Zwischendurchesser

Man kommt bei der Obstschale vorbei und bedient sich daraus. Später entdeckt man noch ein Stück Kuchen und lässt sich diesen munden. Als man eine Lade öffnet, findet man ein Bonbon, das sofort in den Mund gesteckt wird.

Der Zwischendurchesser orientiert sich kaum an dem Bedarf des Organismus, fragt sich also nicht, ob er Hunger hat, sondern versucht immer dann, wenn sich die Möglichkeit bietet, seine Bedürfnisse abzudecken.

Nicht nur, dass dieses Zwischendurchessen natürlich auch weitgehend automatisiert und ohne besondere Kontrolle abläuft, entwickeln solche Personen auch nie einen »richtigen« Hunger.

So fehlt ihnen die wirkliche »Vorfreude« auf ein Gericht, die man erst dann so richtig verspürt, wenn man auch hungrig ist. Aber auch der Sättigungseffekt nach einer eingenommenen Mahlzeit wird nicht wirklich erlebt, da dieser Unterschied zwischen Hunger und Sättigung – wenn überhaupt – nur sehr oberflächlich wahrgenommen werden kann.

Schlank ohne Diät
TIPP

Lassen Sie vor allem jene Dinge, die Sie immer wieder zum Essen verführen, nicht sichtbar herumstehen. So werden Sie nicht dauernd »erinnert«, zwischendurch etwas essen zu müssen.

Vorliebenesser

Gewohnheiten können sich auch gegenüber bestimmten Nahrungsmitteln entwickeln. So bezeichnen sich manche Leute selbst als

- Fleischtiger,
- Nudelesser,
- Brotesser,
- Süßer,
- etc.

Abgesehen davon, dass wir alle unsere Vorlieben haben und diese wahrscheinlich von Generation zu Generation weitergegeben werden, sollten wir doch auf eine ausgewogene Mischkost achten. Zu einseitiges Essen kann einen Mangel an gewissen Nährstoffen bedeuten, aber auch eintönig sein. Auch hier mag wieder die Genusskomponente zu kurz kommen, was eventuell zum Versuch führt, dies durch Aufnahme größerer Mengen auszugleichen.

Der Zwischendurchesser

**Der
Vorliebenesser**

Lassen Sie auch beim Essen Ihre Kreativität nicht zu kurz kommen.

Die Variation von verschiedenen Nahrungsmitteln und Speisen kann das Essen auch schon bei kleineren Mengen sehr attraktiv machen.

Jedenfalls wird es im Rahmen des **Schlank-ohne-Diät**-Programms wichtig sein, seinen eigenen Esstyp zu erkennen – wobei auch Kombinationen verschiedener Esstypen möglich sind – um dann selbst herauszufinden, welche Änderungen des Essverhaltens am zielführendsten sein können und die Entscheidung zu treffen, wo man beginnen möchte, seine Essgewohnheiten umzustellen.

Methode

Schlank ohne Diät

(SOD)

So schaffen Sie es!

Wenn Sie das Programm mit einem Partner gemeinsam durchführen oder 20 Wochen für die Gewichtsabnahme vorgesehen haben, können Sie weitere Schlank-ohne-Diät-Praxisbücher im Buchhandel kaufen.

Gewicht abnehmen – aber richtig

»Es ist an der Zeit, jetzt muss ich abnehmen!« denken sich viele Menschen und versuchen mitunter – ohne sich wirklich damit auseinanderzusetzen – irgendeine Diät, von der sie gerade gehört oder gelesen haben. Wenn man Glück hat, funktioniert es tatsächlich. Aber dann stellt sich noch die Frage, wird der Erfolg anhalten? Etliche probieren es sogar ohne besondere Methode, verzichten auf bestimmte Nahrungsmittel, die sie für ungünstig halten oder beginnen einfach zu fasten.

Die Enttäuschung ist groß, wenn sich der erwartete Erfolg nicht entsprechend einstellt oder nach kurzer Zeit das Gewicht wieder hinaufgeht. Ein neuerlicher Versuch wird unternommen, eine andere »Diät« wird probiert. Es kommt zum Jo-Jo-Effekt: Das Gewicht schwankt hin und her, der Organismus entgleist und allmählich können nicht einmal mehr die kurzfristigen Erfolge erzielt werden. Außerdem kommt man drauf, dass sich auf einmal sehr vieles um das Essen dreht, wobei einem der Genuss und die Freude am Essen verloren gegangen sind.

Das vom Institut für Sozialmedizin der Universität Wien entwickelte, wissenschaftlich erprobte und ständig den neuesten Erkenntnissen angepasste Programm **Schlank ohne Diät** – kurz SOD-Programm – wird von zahlreichen niedergelassenen Ärzten/-innen, Psychologen/-innen, Ernährungswissenschaftern/-innen und Diätassistenten/-innen sowie von einigen Institutionen in ganz Österreich betreut (Information darüber: www.sod.at).

Man ist, wenn man will, also nicht ganz auf sich und die Unterlagen allein gestellt, sondern kann einen SOD-Kurs belegen oder bei einer Gesundheitsexpertin bzw. einem Gesundheitsexperten eine SOD-Beratung erhalten.

Zahlreiche Veröffentlichungen in Fachzeitschriften haben dem SOD-Programm wissenschaftliche Anerkennung gebracht. Das österreichische Testmagazin »Konsument« hat **Schlank ohne Diät** schon mehrfach unter die besten Abnehmmethoden eingereiht.

Schlank ohne Diät basiert auf Verhaltensmodifikation und obwohl man – wie der Name schon sagt – keine Diät einzuhalten hat, muss man dennoch etwas »tun« um abzunehmen.

Schlank ohne Diät hat jedoch einige Prinzipien, die es den Teilnehmern erleichtern, das Programm zu erfüllen:

- Grundsätzlich gibt es keine Verbote bei Nahrungsmitteln – im Prinzip ist alles erlaubt.

- Es gibt auch keine Gebote – man muss nichts essen, was man eigentlich nicht mag.

- Essen soll Freude bereiten – der Genuss darf nicht zu kurz kommen.

- Wer sich zusätzlich körperlich bewegt, hat Vorteile – aber auch diese Aktivitäten sollen Freude machen.

Schlank ohne Diät unterscheidet sich also von vielen herkömmlichen »Diäten«. Das macht es auch besonders wichtig, seine »Umgebung« über diese Methode zu informieren.

Es könnte sonst leicht passieren, dass man von Ihnen zwar weiß, Sie seien gerade (wieder) beim Abnehmen, mit großer Verwunderung aber feststellt, dass Sie trotzdem »essen« – und vielleicht zu diesem Zeitpunkt gar nicht einmal wenig.

So etwas kann bei unseren »lieben« Mitmenschen gehässige Äußerungen nach sich ziehen, wie »... also von deinem Abnehmversuch ist aber nicht viel zu merken...«. Um sich dieser unangenehmen Situation gar nicht auszusetzen, ist es vernünftig, schon vorher die Prinzipien von **Schlank ohne Diät** erklärt zu haben.

Weiters sollte es Ihnen nicht so ergehen, dass Sie vielleicht die ganze Woche schon darauf hinarbeiten, bei einer vorgesehenen Festivität durchaus »normal« zu essen, aber dann vom Gastgeber überrumpelt werden »... weil ich ja weiß, dass Sie gerade abnehmen, habe ich für Sie speziell ein ganz kalorienarmes Gericht vorbereitet...«.

Auch dies kann eine Frustration auslösen: Man führt solche Probleme unter Umständen auf seinen »dämlichen« Abnehmversuch zurück, die Motivation sinkt, man gibt auf.

Gerade beim **Schlank-ohne-Diät**-Programm sollte man Freunde finden, die einen unterstützen. In der Familie wird häufig bereitwillig das **Schlank-ohne-Diät**-Programm mitgemacht, dies umso leichter, da ja jeder sich nach seinen Richtlinien orientieren kann. Wenn man dann in seiner Umgebung noch echte »Mitstreiter« findet, die gemeinsam die **Schlank-ohne-Diät**-Methode ausprobieren wollen, wäre das optimal.

Die Verringerung des Körpergewichts wird aber nicht nur durch eine eingeschränkte Nahrungsaufnahme erzielt, sondern kann auch durch vermehrte körperliche Betätigung gefördert werden. Diese körperlichen Aktivitäten können im Rahmen der Alltagsroutine stattfinden – zum Beispiel Stiegen

steigen statt Lift fahren oder zu Fuß gehen statt ein Verkehrsmittel zu benützen – oder durch gezielten Sport – z. B. Schwimmen, Laufen, Radfahren, Tennisspielen – zum Einsatz kommen. In jedem Fall gilt aber auch hier die Devise: Körperliche Aktivität soll Spaß machen.

Lebensstiländerung und das Drei-Säulen-Prinzip

Eine dauerhafte Gewichtsreduktion ist nur durch eine schrittweise aber konsequente Veränderung bestimmter Aspekte des Lebensstils zu erreichen.

Die dafür notwendigen Voraussetzungen lassen sich am besten anhand des »Drei-Säulen-Prinzips« (Abb. 1) darstellen.

Attraktives Ziel	**Über-zeugung**	**Handlungs-anreiz**
Information Motivation	Konsequenz Kompetenz	innerer äußerer

Erfahrungen

Modelle

Handlungsbereitschaft

Abb. 1: Drei-Säulen-Prinzip als Voraussetzung zur Lebensstiländerung

Haben Sie ein attraktives Ziel?

Sie wollen abnehmen – gut! Aber haben Sie sich alles genau überlegt? Beantworten Sie doch die folgenden Fragen mit einigen Kurznotizen. Darauf können Sie dann immer wieder zurückkommen, damit Sie Ihr »attraktives Ziel« nicht aus den Augen verlieren:

▪ Warum möchte ich eigentlich abnehmen?

_____

_____

_____

▪ Was ist mein wichtigster Beweggrund?

_____

_____

_____

▪ Was ist mein erstes Abnehmziel?

_____

_____

_____

Wenn hier noch einige Fragen für Sie offen sind, wird es Ihnen sicher helfen, sich in diesem Buch die entsprechenden Informationen zu holen. Die Beschäftigung mit diesen Themen wird Ihnen helfen, Ihre Motivation noch weiter aufzubauen – Sie können es gar nicht mehr erwarten, mit dem Programm zu beginnen!

Sind Sie wirklich überzeugt?

Und zwar überzeugt in zweierlei Hinsicht:

Werden sich jene Konsequenzen einstellen, die Sie sich wünschen und erwarten? Nehmen Sie sich auch für das Beantworten der folgenden Fragen etwas Zeit:

▪ Welche persönlichen Erwartungen (Konsequenzen) knüpfe ich an das Abnehmen?

○ Gesteigertes Wohlbefinden

○ Besseres Aussehen

○ Mehr Beweglichkeit

○ Gesundheitliche Verbesserungen

○ Sonstiges:

_____

_____

_____

▪ Bei welcher Konsequenz bin ich schon jetzt sehr überzeugt, dass sie eintreffen wird?

_____

_____

_____

▪ In welcher Hinsicht habe ich noch meine Zweifel?

_____

_____

_____

▪ Wie wird meine Umgebung reagieren?

_____

_____

_____

Nun, wenn Sie sich der positiven Konsequenzen bewusst sind und auch die Überzeugung gewonnen haben, dass diese nach erfolgreicher Abnahme eintreten werden, hängt es jetzt noch von Ihrer persönlichen Einschätzung ab: Traue ich mir das überhaupt zu, habe ich die Fähigkeiten (Kompetenz) Gewicht abzunehmen? Können Sie den folgenden Aussagen ganz (oder zumindest teilweise) zustimmen?

	stimme zu	stimme teilweise zu	stimme nicht zu
Schwierigkeiten sehe ich gelassen entgegen, weil ich mich immer auf meine Fähigkeiten verlassen kann.	○	○	○
Wenn ich mit einer neuen Sache konfrontiert werde, weiß ich, wie ich damit umgehen kann.	○	○	○
Ich werde es schaffen, mir die Zeit zu nehmen, jene Lebensmittel zu besorgen, die ich möchte.	○	○	○
Wenn ich mir vornehme, meine Lebensgewohnheiten etwas umzustellen, dann halte ich das auch durch.	○	○	○
Mehr Bewegung werde ich auch dann machen, wenn ich niemanden finde, der mit mir Sport treibt.	○	○	○
Eine geplante Sportaktivität werde ich auch dann ausüben, wenn ich mich über etwas ärgere.	○	○	○

Mussten Sie manchmal mit »stimme nicht zu« oder mit »stimme nur teilweise zu« antworten? Seien Sie nicht so pessimistisch! Das SOD-Programm ist so aufgebaut, dass es jeder schaffen kann. Schritt für Schritt werden Sie da und dort ein wenig verändern. Der Erfolg stellt sich dann sicher ein.

Wie sehen Ihre Handlungsanreize aus?

Will man bestimmte Verhaltensweisen so umstellen, dass es zu einer dauerhaften Gewichtsreduktion kommt, braucht man eine Methode, ein Programm, wie das bewerkstelligt werden kann. Diese Strategie kann man sich mit entsprechendem Grundlagenwissen selbst überlegen, also nach einem inneren Plan vorgehen. Man kann aber auch auf Bewährtes zurückgreifen, sich von außen helfen lassen und ein bestehendes Programm durchführen. Sinnvoll wird natürlich eine Kombination sein: Man übernimmt eine Methode, zu der man Vertrauen hat, sucht aber darin auch seinen eigenen Weg zur optimalen Umsetzung.

Doch auch in diesem Zusammenhang ist es vernünftig noch einige Überlegungen anzustellen:

■ Ist der Zeitpunkt der Gewichtsreduktion richtig gewählt – oder werde ich mich diesem Problem in den nächsten Tagen und Wochen kaum widmen können? Wann ist wirklich der optimale Zeitpunkt das SOD-Programm zu starten?

■ Wie lange habe ich vor, mich mit dem Abnehmen zu beschäftigen?

■ Wie werde ich mich verhalten, wenn sich der Erfolg nicht bzw. nicht gleich einstellt?

Stehen Ihre drei Säulen auf einem guten Fundament?

Wenn Sie sich nun mit dem Aufbau der drei Säulen beschäftigt haben, sich an einem attraktiven Ziel orientieren können, die Überzeugungen gewonnen wurden, dass sich die erwarteten positiven Konsequenzen einstellen werden und Sie auch dazu die Kompetenz haben, diese zu erreichen, sowie ein innerer Plan sowie ein äußeres Konzept – ein entsprechendes Programm – vorhanden ist, sollte eigentlich nicht mehr viel schief gehen.

Vielleicht sollten Sie noch überprüfen, ob Ihre drei Säulen auf einem soliden Fundament stehen:

■ Wie sehen meine bisherigen Erfahrungen mit einer Lebensstiländerung aus? Was habe ich im Zusammenhang damit als sehr positiv empfunden?

■ Kenne ich Personen, die erfolgreich abgenommen haben und mir als Modelle dienen können? Inwiefern haben sich bei diesen positive Konsequenzen eingestellt, die ich mir selbst auch erwarte?

■ Bin ich dazu bereit, die notwendige Aktivität aufzubringen, die erforderlich ist, eine dauerhafte Verhaltensmodifikation zu erreichen? Was wird mein erster Schritt dazu sein?

Der SOD-Motivationstest

Bevor Sie sich nun tatsächlich mit der **Schlank-ohne-Diät**-Methode vertraut machen, führen Sie noch den SOD-Motivationstest durch. Er gibt Ihnen Aufschluss, ob Ihre drei Säulen richtig »stehen« und Sie mit dem Abnehmprogramm beginnen können.

Wie schätzen Sie – eventuell verglichen mit früheren Abnehmversuchen – Ihre momentane Bereitschaft zur Gewichtsreduktion ein? **Zutreffendes bitte ankreuzen!**

1	2	3	4	5
sehr schlecht	schlecht	es geht	ganz gut	sehr gut

Wie sicher sind Sie, dass Sie das Programm so lange durchhalten können, bis Sie Ihr Ziel erreicht haben?

1	2	3	4	5
sehr unsicher	etwas unsicher	einigermaßen sicher	ziemlich sicher	sehr sicher

---

Unter Berücksichtigung Ihrer derzeitigen Lebensumstände – berufliche, familiäre Situation – wie sehr werden Sie sich Ihrem Programm widmen können?

1	2	3	4	5
gar nicht	kaum	etwas	ganz gut	sehr gut

Im Rahmen des SOD-Programms wird eine durchschnittliche Abnahme von einem halben Kilogramm pro Woche erwartet. Wie realistisch ist das für Sie?

1	2	3	4	5
unrealistisch	eher unrealistisch	einigermaßen realistisch	ziemlich realistisch	sehr realistisch

---

Glauben Sie, dass Sie während des Abnehmens immer wieder daran denken müssen, wie schön es wäre, größere Mengen Ihrer Lieblingsspeisen zu essen?

1	2	3	4	5
immer	häufig	manchmal	selten	nie

Glauben Sie, dass Sie während des Abnehmens depressiv, aggressiv oder sonst ungünstig gestimmt sein werden?

1	2	3	4	5
immer	häufig	manchmal	selten	nie

Addieren Sie die angekreuzten Punkte. Die Auswertung finden Sie auf der nächsten Seite.

Wie viele Punkte haben Sie erreicht?

Punkte

Ihr Ergebnis:

6 bis 16 Punkte:

Das ist kein günstiger Zeitpunkt mit dem SOD-Programm zu beginnen. Überprüfen Sie noch einmal Ihr Drei-Säulen-Prinzip und versuchen Sie sich vorläufig mit den Kapiteln zur »Ernährung«, »Bewegung« und dem »Verhalten« zu beschäftigen. Sicher können Sie dann Ihre drei Säulen auf ein besseres Fundament stellen. Eine nochmalige Durchführung des SOD-Motivationstests wird es Ihnen beweisen.

17 bis 23 Punkte:

Ihre Bereitschaft ist schon sehr hoch, aber ein wenig fehlt noch, um wirklich beginnen zu können. Bevor Sie also gleich beim Start einige Frustrationserlebnisse haben, gehen Sie lieber noch einmal Ihr Drei-Säulen-Prinzip durch. Woran kann es liegen, dass die Motivation noch nicht so perfekt ist? Vielleicht hilft Ihnen das eine oder andere Kapitel in dem Buch, um das zu erkennen.

24 bis 30 Punkte:

Sie können es gar nicht mehr so richtig erwarten, mit der Gewichtsreduktion anfangen zu dürfen. Machen Sie sich anhand der Kapitel »Wissenschaftlicher Hintergrund des SOD-Programms« und »Durchführung des **Schlank-ohne-Diät**-Programms« mit der Methode vertraut und beginnen Sie mit den ersten Schritten der Durchführung.

Wissenschaftlicher Hintergrund des SOD-Programms

Abnehmwilligen steht eine ganze Reihe verschiedener Diätformen zur Verfügung. Viele dieser Diätempfehlungen haben den Nachteil, dass eine Gewichtsabnahme – wenn sie überhaupt erreicht wird – nur von kurzfristiger Dauer ist.

Die meist einseitig aufgebauten Diäten können nämlich nicht über einen langen Zeitraum eingehalten werden, sind mitunter sehr teuer, für die Durchführung in der Alltagssituation (Familie, Beruf, Freizeit) oft nicht geeignet und führen vor allem nicht zu einer Veränderung des Essverhaltens. Das Ergebnis ist dann meist eine neuerliche Zunahme nach Beendigung der Diät.

Das Testmagazin »Konsument« (VKI) führt in regelmäßigen Abständen Bewertungen der zur Verfügung stehenden Abnehmmethoden durch. Auch bisher wurde **Schlank ohne Diät** immer unter die empfehlenswerten und Erfolg versprechenden Gewichtsreduktionsverfahren gereiht.

Bei einem Vergleich von 80 Diäten (siehe Literaturliste im Praxisbuch) schnitten nur 11 als besonders empfehlenswert ab – darunter **Schlank ohne Diät**, 50 Diäten sind sogar abzulehnen. Sie sind nicht ausgewogen, sorgen nicht für eine langfristige Veränderung der Essgewohnheiten und bieten kein entsprechendes Bewegungsprogramm.

Das wissenschaftlich kontrollierte Programm zur Gewichtsreduktion **Schlank ohne Diät** ermöglicht eine langfristige Umstellung von Ernährungsgewohnheiten meist in Kombination mit geringfügigen aber dennoch bedeutsamen Änderungen des Lebensstils.

Durchführung des Schlank-ohne-Diät-Programms

Der Ablauf des SOD-Programms

Schlank ohne Diät ist eine Methode, die man mindestens 10 Wochen hindurch durchführen soll. In dieser Zeit sollte es gelingen, seine Ernährungsgewohnheiten so weit zu verändern, dass vorerst die gewünschte Gewichtsabnahme erreicht wird, später jedoch dieses Gewicht auch beibehalten werden kann.

Einmal pro Woche werden jeweils das Körpergewicht und gegebenenfalls der Körperfettgehalt festgestellt und mit dem berechneten Wochenenergiewert in Beziehung gesetzt. Ein guter Erfolg ist dann erzielt, wenn im Durchschnitt pro Woche ein halbes Kilogramm abgenommen wird. Jemand der vorhat, etwa 10 kg abzunehmen, sollte dafür einen Zeitraum von 20 Wochen in Aussicht nehmen.

Schlank ohne Diät – das Grundprinzip

Jeder Abnehmwillige soll seinen Esstyp erkennen und eventuelle »Fehler« in der Ernährung selbst herausfinden. Das geschieht, indem so genannte Tages-Protokollkarten geführt werden. Man hält all das fest, was man an einem Tag isst und trinkt. Schließlich errechnet man anhand einer Kalorien-Tabelle den Energiegehalt. Die Tages-Protokollkarten finden Sie im beiliegenden Praxisbuch. Sie sind perforiert und können auch herausgetrennt werden.

Gleichzeitig versucht man, vermehrt Bewegung zu machen und hält diese sportlichen Aktivitäten mit Angaben der jeweiligen Übungszeit fest. Auch diese verbrauchte Energie lässt sich anhand von Tabellen in Kalorien (s. S. 104 f. bzw. 106) umrechnen.

Als SOD-Teilnehmer stellen Sie vorerst Ihren Tages-Energiewert fest. Wesentlich ist jedoch der Wochen-Energiewert, der jeweils vor der wöchentlichen Gewichtskontrolle errechnet wird. Dieser Wochenwert hat beim SOD-Programm entscheidende Bedeutung.

Wenn man nämlich über einige Zeit nicht abgenommen hat, weiß man, dass der Wochenwert zu hoch ist und dieser nächste Woche unterboten werden muss, wenn man Erfolg haben will.

Ein weiterer Vorteil des Wochenwertes ist auch, dass man innerhalb dieses Zeitraumes seine Energiezufuhr selbst ausbalancieren kann.

Man kann sich durchaus erlauben, auch einmal etwas mehr zu essen, wenn man das in seine Wochenberechnung miteinbezieht und an einem anderen Tag versucht, an Energie (Kalorien) einzusparen.

Umstellung erworbener Essgewohnheiten durch Reizkontrolle

Während der langsamen Abnahme – eine durchschnittliche Gewichtsreduktion von einem halben Kilogramm wird angestrebt – wird besonderer Wert darauf gelegt, dass Sie Ihr Essverhalten überdenken, um die immer wiederkehrenden Fehler, die zur Zunahme geführt haben, zu vermeiden und so das Verhalten auf Dauer zu ändern.

Je mehr Bewegung – desto höherer Kalorienverbrauch.

Naschen zwischen den Mahlzeiten?
Wenn, dann kontrolliert!

Viele Menschen halten sich bei der Nahrungsaufnahme an bestimmte Regeln und essen nur bei Vorliegen ganz spezifischer Reize. So haben Menschen ihre Mahlzeitenordnung (z. B. zu den drei Mahlzeiten – Frühstück, Mittagessen, Abendessen – wird konsumiert, sonst nicht), ihren Essplatz (z. B. zum Essen begibt man sich auf seinen Essplatz) und achten auf eine vernünftige Vorratshaltung (z. B. nur jene Lebensmittel werden eingekauft, die in der nächsten Zeit auch verbraucht werden sollen).

Übergewichtige berücksichtigen oft weniger solche Rituale oder haben einfach zu viele dieser Reize, die sie immer wieder zum Essen anregen. Mit Hilfe der Reizkontrolle kann erreicht werden, dass

- erwünschtes Verhalten (z. B. Mahlzeitenordnung) gefördert

- und unerwünschtes Verhalten (z. B. Naschen zwischen den Mahlzeiten) reduziert wird.

Im Rahmen des SOD-Programms dienen dazu die Verhaltensregeln. Diese berücksichtigen nicht so sehr was gegessen, sondern wie gegessen wird.

Dabei ist darauf zu achten, dass man sich für das Essen Zeit nimmt, nicht nebenbei noch andere Dinge erledigt und vielleicht auch in manchen Situationen auf den Konsum verzichtet.

Obwohl ein großes Angebot an solchen Regeln vorhanden ist, wäre es sinnvoll, dass jeder Abnehmwillige sich jene Regeln aussucht, die für ihn zutreffen, von denen er sich vorstellen kann, diese auch in Zukunft einzuhalten und die sich positiv auf die Veränderung seines Gewichts auswirken. Man kann im Laufe eines SOD-Kurses die Erfahrung machen, dass die eine oder andere Verhaltensregel nicht den oben genannten Kriterien entspricht. Es besteht dann die Möglichkeit, diesen Vorsatz durch einen »besseren« zu ersetzen.

Hat man zwei, drei, vier oder sogar fünf solcher Regeln gefunden, wäre es wichtig, diese in die Alltagssituation einzubauen, sodass die selbst gewählten Maßnahmen allmählich zur Routine werden.

Die Verhaltensregeln finden Sie auf Klebeetiketten, die dem Praxisbuch beigelegt sind.

Besonders wichtig und attraktiv sind Regeln zur

- Gewöhnung an langsameres Essen bzw. besseres Kauen, z. B. »Ich vermeide es, hastig zu essen und kaue jeden Bissen ganz langsam«;

- Berücksichtigung von Begleitumständen, z. B. »Ich vermeide alle Nebentätigkeiten (wie Lesen, Fernsehen) während des Essens«;

- Veränderung bestimmter Essgewohnheiten, z. B. »Ich lege mir fünf Mahlzeiten über den Tag fest und esse nur zu diesen Zeitpunkten«;

- Beachtung beim Einkaufen, z. B. »Ich schaffe mir vor allem von den Nahrungsmitteln, die mich immer wieder zum Essen verführen, keine Vorräte an«.

Durch die aktive Beteiligung während der ganzen Abnehmprozedur lernt man nicht nur, die Ernährungsgewohnheiten zu verändern, sondern auch eine Methode, mit der man künftighin bei auftretenden Gewichtsproblemen sofort wieder Maßnahmen zur Verringerung bzw. Beibehaltung des Körpergewichts setzen kann.

Schlank ohne Diät plus – enthält die beiden Kalorienfibeln

Hat man sein Ess- und Bewegungsverhalten – mit Hilfe der Protokollkarten – einigermaßen unter Kontrolle, ist es sinnvoll, sich nicht nur auf die aufgenommene Energie zu konzentrieren, sondern zusätzlich auch den Fettanteil von Nahrungsmitteln in Gramm anzugeben, diese Angaben findet man in den beiden neuen Kalorienfibeln.

Selbstkontrolle als begleitende Maßnahme – SOD-Wochen-Protokoll und SOD-Zufriedenheits-Protokoll

Will man ein Verhalten auf Dauer ändern, ist es wichtig, das nunmehr neue Verhalten über einen bestimmten Zeitraum immer wieder zu überdenken und die sich daraus ergebenden Konsequenzen zu überprüfen.

Während des 10-wöchigen SOD-Kurses wird empfohlen, auf dem SOD-Wochen-Protokoll auch seine persönliche Zufriedenheit zu dokumentieren und neben der wöchentlichen Gewichtskontrolle auch seinen Bauchumfang und gegebenenfalls den Körperfettanteil zu überprüfen. Dazu dienen die Wochen-Protokollkarten im Praxisbuch, jeweils nach 7-Tages-Protokollkarten und das Zufriedenheitsprotokoll während des SOD-Kurses, ebenfalls im Praxisbuch.

Der Ernährungscheck für die ganze Woche hilft, sich ausgewogen und gesund zu ernähren. Außerdem empfiehlt sich, diese Art von Selbstkontrolle nach Beendigung eines SOD-Kurses auf dem separaten SOD-Zufriedenheits-Protokoll (siehe Praxisbuch), wenn auch vielleicht in etwas größeren Intervallen, fortzusetzen.

Schlank-ohne-Diät-Kurse

Es hat sich als günstig erwiesen, das SOD-Programm in Gruppen durchzuführen.

Bei optimaler Gruppengröße (8 bis 12 Teilnehmer) besteht die Möglichkeit zu wertvollen Kontakten zwischen den einzelnen Teilnehmern.

Probleme, die während des Abnehmprozesses auftreten, werden in der Gruppe diskutiert. Dadurch entsteht die Chance, dass nicht nur ein »theoretisch« ausgebildeter Gruppenleiter, sondern »Betroffene« – zum Teil durch Zurückgreifen auf eigene Erfahrungen – zur Lösung der Problematik beitragen.

Gleichzeitig spornen »erfolgreiche« Klienten jene an, die anfänglich mit ihrer Gewichtsabnahme unzufrieden sind, da sie mit ihren Fortschritten bei der Gewichtsreduktion die Wirksamkeit des Programms dokumentieren.

Derartige Gruppen werden von Ärzten/-innen, Psychologen/-innen, Ernährungswissenschaftern/-innen, Diätassistenten/-innen und anderen Personen aus Gesundheitsberufen sowie verschiedenen Institutionen, z. B. dem Kneippbund, angeboten.

Informationen darüber können bei der Arbeitsgemeinschaft Gesundheitserziehung am Institut für Sozialmedizin der Universität Wien, 1090 Wien, Rooseveltplatz 3 (Tel.: (01) 4277 646-70, Fax: (01) 4277 646-71) oder per Internet (www.sod.at) angefordert werden.

Erfolgsquote

Im Rahmen von »Abnehm-Kursen« mit insgesamt 10 Gruppentreffen wurden Gewichtsreduktionen bis zu 13 Kilogramm, mit einem Mittel zwischen 7 und 10 Kilogramm erreicht.

Ein Großteil der betreuten Klienten erzielte das »Wunschgewicht« und mehrfach wurden günstige Nebenwirkungen (Verbesserung bei hohem Blutdruck, erhöhten Cholesterinwerten und zu hohem Blutzuckerspiegel) beobachtet.

Der Umgang mit den beigelegten Materialien

Zur Durchführung des **Schlank-ohne-Diät**-Programms stehen eine Reihe von Unterlagen zur Verfügung.

Die Bestandsaufnahmekarte als Begleiter über das gesamte Programm

Beginnen wir mit der Bestandsaufnahmekarte, die üblicherweise Ihr Berater führt. Sind Sie jedoch Ihr »eigener Therapeut«, dann führen Sie diese Karte selbst. Die Karteikarte finden Sie im Praxisbuch.

Bei bestehenden Grundkrankheiten (Risikofaktoren) – wie Herz-Kreislauf-Krankheiten, Bluthochdruck, Diabetes usw. – sollten Sie Ihren Arzt aufsuchen und ihm von Ihrem Vorhaben, mit **Schlank ohne Diät** abnehmen zu wollen, berichten. Er wird Ihnen dann entsprechende individuelle Empfehlungen geben, die Sie im Rahmen des Programms berücksichtigen sollten.

Die Bestandsaufnahmekarte soll Ihnen Aufschluss über den Verlauf Ihrer Gewichtsreduktion liefern. Tragen Sie daher einmal pro Woche das Datum, das Gewicht sowie die Gewichtsveränderung gegenüber der Vorwoche ein.

Auf der Innenseite der Bestandsaufnahmekarte finden Sie eine Art Fragebogen, der sich auf Ihr Körpergewicht und Ihre Ernährungsgewohnheiten bezieht.

Für Raucher sind auch einige Fragen zum Tabakkonsum enthalten, da es ja nicht so sein soll, dass Sie zwar weniger essen aber dafür mehr rauchen.

Vielleicht ist es sogar ein Anreiz für Sie, wenn Sie mit der Gewichtsreduktion erfolgreich waren, auch das Rauchen aufzugeben.

Tages-Protokolle

Weiters finden Sie im Praxisbuch bunte Tages- und Wochenprotokollkarten – perforiert zum Heraustrennen. Um mehr über Ihr eigenes Essverhalten zu erfahren, wird im Rahmen des **Schlank-ohne-Diät**-Programms ein entsprechendes Protokoll angelegt. Jeden Tag wird eine neue Karte benützt. Es werden jeweils die aufgenommenen Speisen und Getränke aber auch alle Bewegungsaktivitäten festgehalten Die Karten lassen sich leicht heraustrennen.

Um die Essens- und Bewegungskarten entsprechend aufbewahren zu können, gibt es eine Hülle. So können Sie jedes Tagesprotokoll mitnehmen und nach dem Ausfüllen aufbewahren oder Sie können die Karten im Praxisbuch belassen.

Wenn Sie das Programm gemeinsam mit einem Partner durchführen, können Sie das Praxisbuch extra im Buchhandel, bei der Arbeitsgemeinschaft Gesundheitserziehung (siehe Seite 39) oder direkt beim Verlag beziehen.

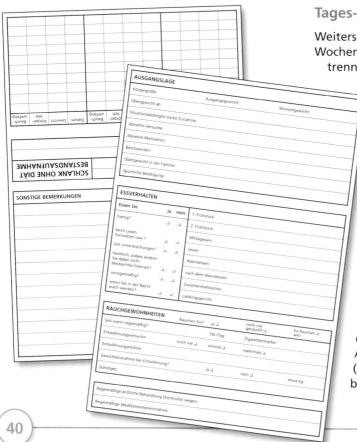

Die Kalorienfibeln I und II zur Orientierung im »Lebensmitteldschungel«

Zur Berechnung der Energiewerte von Nahrungsmitteln liegen dem Set »Schlank ohne Diät plus« zwei umfangreiche »Kalorienfibeln« bei.

Die Kalorienfibel I umfasst die Daten von etwa 6.000 Nahrungsmitteln, so wie sie im Supermarkt angeboten werden. Die Angaben wurden sorgfältig recherchiert und die Energie-, Eiweiß-, Fett- und Kohlenhydratwerte nicht nur in Portionsgrößen (wichtig für den Anwender) und 100 Gramm (wichtig zum Vergleich), sondern auch in Energieprozent dargestellt.

Dem Benützer fällt es ganz leicht, den Energiegehalt seiner Lieblingsschokolade herauszufinden oder den Unterschied zwischen den einzelnen Wurstsorten zu erkennen.

Sehr interessant sind auch die Vergleichstabellen »100 Kalorien sind« für jede Lebensmittelgruppe.

Die Kalorienfibel I enthält außerdem die Tabellen und Zufuhr-Empfehlungen für Vitamine und Mineralstoffe nach den neuesten Erkenntnissen sowie wichtige Sondertabellen: Cholesterin, Ballaststoffe, Histamin und Harnsäure.

Die Kalorienfibel II bietet 3.000 fertige Gerichte – Nährwert-berechnet: Für jede Speise wird neben dem Energiegehalt auch der Eiweiß-, Fett- und Kohlenhydratanteil in Gramm und Prozent angegeben, man sieht also auf einem Blick, ob eine Speise besonders fettreich ist. Die internationale Küche (z. B. Sushi, chinesische, thailändische, italienische oder mexikanische Speisen) wurde genauso berücksichtigt wie viele moderne Halbfertig- und Fertiggerichte. 15 Tagesmenüpläne mit einer optimalen Nährstoffverteilung dienen als Beispiele für die Menügestaltung während einer Gewichtsreduktion. Sondertabellen befassen sich mit der Fettverteilung der Speisen, mit dem Cholesterin-, Ballaststoff- und Kochsalzgehalt.

Aller Anfang ist leicht

Zusammenstellung der Unterlagen

Ihre Unterlagen finden Sie im Praxisbuch:

- die Karteikarte
- die **Schlank-ohne-Diät**-Hülle zum Aufbewahren der Tages-Protokolle
- die Tages-Protokollkarten zum Heraustrennen
- die Wochen-Protokollkarten zum Heraustrennen
- die SOD-Zufriedenheits-Protokolle
- das Blatt mit Klebeetiketten

Das Set »Schlank ohne Diät plus« enthält zusätzlich:

- die Kalorienfibel I
- die Kalorienfibel II

Die beiden Kalorienfibeln sind im Buchhandel erhältlich.

Beginn mit der Protokollführung

Tages-Protokoll

Bei Durchführung des **Schlank-ohne-Diät**-Programms wird über die Nahrungsaufnahme und die sportlichen Betätigungen Buch geführt. Dafür stehen die bunten Tages-Protokolle im Praxisbuch zur Verfügung, die jeweils für die Eintragungen eines Tages herangezogen werden.

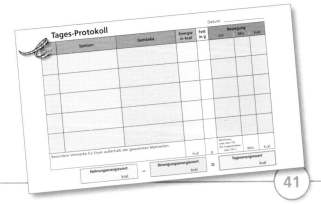

Auf der linken Seite der Karte wird vorerst der Zeitpunkt notiert, wann eine Speise oder ein Getränk konsumiert wird.

Das jeweilige Nahrungsmittel wird dann möglichst mit der Mengenangabe schriftlich festgehalten.

Bei den Mengenangaben kann es sich um Schätzungen handeln, zur Überprüfung seiner eigenen Schätzleistung sollte allerdings ab und zu die Küchenwaage zu Rate gezogen werden.

Ein Tipp: Wenn Sie außerhalb Ihrer gewohnten Mahlzeiten etwas konsumieren oder trinken, machen Sie sich einen kurzen Vermerk, warum das nach Ihrer Meinung nach geschehen ist:

- besonderer Appetit
- schlechte Laune
- Ärger
- Verführung durch andere oder Anblick von Nahrungsmitteln
- Gewohnheit
- Stress
- Hungergefühl
- Sonstiges

So lernen Sie Ihr Essverhalten besser kennen und können darauf entsprechend reagieren.

Anhand der Kalorienfibeln wird versucht, die aufgenommenen Speisen und Getränke in Energie (Kalorien) und Fett auszudrücken. Die Eintragung erfolgt in den dafür vorgesehenen Spalten.

Drei Spalten auf der rechten Seite der Protokollkarte dienen zur Eintragung der Bewegungsaktivitäten.

Eine genaue Übersicht, wie viel Energie Sie mit Bewegung »verarbeiten«, finden Sie auf Seite 102 ff.

Eine grobe Berechnung der Bewegungsenergie lässt sich mit der Tabelle auf Seite 106 durchführen.

Fortgeschrittene können die Tabelle auf Seite 104 f. verwenden.

Am Ende eines Tages:

- Die Nahrungsenergiewerte werden zusammengezählt.
- Zusätzlich haben Sie auch die Möglichkeit, Ihre aufgenommene Fettmenge zu protokollieren. Während Sie abnehmen, sollte diese bei 40 Gramm pro Tag liegen.
- Die unter Bewegung eingetragenen Minutenangaben werden mit dem für die jeweilige Gruppe (Seite 106) relevanten Wert multipliziert. Das ergibt den »verbrauchten« Energiewert. Oder man verwendet die Bewegungstabelle auf Seite 104 f.
- Die Bewegungs-Energie wird von den Essens-Energien abgezogen; man errechnet damit seinen Tages-Energiewert, den man in dem entsprechenden Kästchen festhält.

Schlank-ohne-Diät-Hülle

Die **Schlank-ohne-Diät**-Hülle dient zur Aufbewahrung der Protokollkarten.

Schlank-ohne-Diät-Wochen-Protokoll

Wurde eine Woche lang Protokoll geführt, werden die Tages-Energiewerte addiert und der sich daraus ergebende Wochen-Energiewert wird auf der Wochen-Protokollkarte eingetragen.

Außerdem ist Platz vorgesehen zum Einkleben der »Verhaltensregeln«, die auf Klebeetiketten zur Verfügung stehen.

Im Praxisbuch finden Sie Tabellen zum Führen einer Gewichtskurve und einer Körperfettkurve. In das Kästchen links oben wird das Ausgangsgewicht bzw. der Körperfettanteil zu Beginn des Programms notiert.

Nach Ablauf einer Woche wird bei »Woche 1« eine Markierung im Sinne der Gewichtsveränderung bzw. Körperfett-Änderung vorgenommen.

Wurde beispielsweise ein Kilogramm abgenommen so wird bei »-1« ein Punkt markiert und zwischen den beiden Gewichtsmessungen (Ausgangsgewicht – Gewicht nach 1 Woche) eine Linie gezeichnet. Genauso verfährt man mit den Änderungen des Körperfettwertes. Bei Fortführung dieser Eintragungen in den Folgewochen entstehen Kurven, die idealerweise von links oben nach rechts unten führen.

Verhaltensregeln auf Klebe-etiketten

> Ich mache während jeder Mahlzeit fünfmal eine kleine Pause und lege dabei das Besteck weg.

Auf Klebeetiketten stehen Ihnen insgesamt 26 Verhaltensregeln zur Verfügung. Einmal pro Woche wäre davon höchstens eine Regel auszuwählen, in die Wochenprotokollkarte einzukleben und zu versuchen, diese in Zukunft auch einzuhalten. Dies erleichtert das Abnehmen.

Am Ende des **Schlank-ohne-Diät**-Programms sollten Sie dann drei bis fünf dieser Regeln gefunden haben, die Ihnen bei der Gewichtsreduktion helfen, aber auch leicht durchgeführt werden können und so auch in weiterer Folge zu einem etwas veränderten Essverhalten beitragen.

Selbstkontrolle mit Hilfe von zusätzlichen Protokollen

Die Kontrolle des eigenen Ernährungsverhaltens ist während des Abnehmens von entscheidender Bedeutung. Es geht aber auch um das allgemeine Wohlbefinden während des SOD-Programms und um die Zufriedenheit mit seinen Fortschritten. Schließlich hängt der Erfolg wesentlich von diesen Faktoren ab.

Der Erfolg wird beim Abnehmen meist anhand einer Personenwaage festgestellt. Dies ist jedoch bei weitem nicht das einzige Kriterium, das man heranziehen sollte. Ein zweites sehr einfaches aber aussagekräftiges Messinstrument ist das Maßband. Sehr leicht kann man damit seinen Bauchumfang (Messung in der Höhe des Nabels) feststellen.

Sofern man die Möglichkeit dazu hat, wäre auch die regelmäßige Kontrolle des Körperfetts interessant. Gerade Personen, die auf Grund ihrer Gewichtsreduktion begonnen haben, auf fettärmere Produkte umzusteigen und mehr körperliche Bewegung zu machen, werden ihren Erfolg anhand des sich verändernden Bauchumfangs oder des Körperfetts besser beurteilen können als auf der Waage.

Diesen Umständen Rechnung tragend, soll neben den täglichen Aufzeichnungen in den Tages-Protokollen während eines SOD-Kurses (10-Wochen-Programm) auch ein Wochen-Protokoll (siehe Praxisbuch) geführt werden.

Das erste Wochen-Protokoll bietet Platz für die »Fakten«, die zweite Wochenprotokollkarte bietet Platz für das Befinden – die seelische Komponente hat ja großen Anteil an unserem Verhalten.

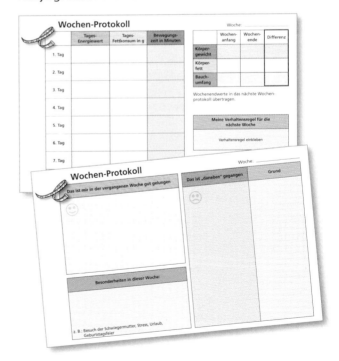

Das seelische Befinden hat einen großen Anteil beim Abnehmen.

SOD-Zufriedenheits-Protokoll nach dem SOD-Kurs

Schlank ohne Diät ist ja keine Methode, die nur über einen bestimmten Zeitraum durchgeführt werden soll. Vielmehr wird mit Hilfe von **Schlank ohne Diät** gelernt, ein neues Essverhalten aufzubauen, das beibehalten werden kann. Nun solche Umstellungen bedürfen einer gewissen Kontrolle, am Anfang intensiv und regelmäßig, später zumindest fallweise.

Nach dem 10-wöchigen SOD-Kurs wird es für die meisten Teilnehmer nicht mehr notwendig sein, weiterhin die Tages-Protokolle zu führen. Die Verhaltensmodifikation ist bereits erfolgt und kann ohne besondere Anstrengungen aufrechterhalten werden. Ob das aber tatsächlich so ist – und hier sind Menschen sehr verschieden: Manche stellen sich schneller um, manche brauchen dazu länger – soll mit dem SOD-Zufriedenheits-Protokoll (siehe Praxisbuch) überprüft werden.

SOD-Zufriedenheits-Protokolle

Jeweils am Ende einer abgelaufenen SOD-Woche geht es darum, das Allgemeinbefinden sowie seine Zufriedenheit mit den nunmehrigen Ess- und Trinkgewohnheiten, der körperlichen Aktivität und dem Einhalten der Verhaltensregeln zu beurteilen. Kommt man zu einer weniger guten Bewertung, sollte man als Kommentar anmerken, warum das so ist und vielleicht in einem Stichwort festhalten, wie man die Situation verbessern möchte. Ist man jedoch sehr positiv in seiner Beurteilung, wäre auch ein entsprechender Kommentar angebracht, um vielleicht später einmal, wenn es nicht so toll läuft, sich daran neuerlich orientieren zu können.

Übrigens: Verhaltensregeln sollen erst ab der zweiten Woche übernommen werden, um sich am Beginn des Programms auf das Protokollieren konzentrieren zu können. Eine Bewertung auf dem SOD-Zufriedenheits-Protokoll kann daher erst ab der zweiten Woche erfolgen.

Die Messung von Bauchumfang und Körperfett soll von Beginn des Programms an einmal wöchentlich durchgeführt werden.

Je nach Bedarf sind in dieses Protokoll alle 14 Tage oder jedes Monat kurze Eintragungen vorzunehmen. Damit soll angeregt werden, sein eigenes Allgemeinbefinden sowie die Zufriedenheit mit Veränderungen im Lebensstil (bevorzugte Speisen und Getränke, körperliche Betätigung, Essverhalten) einer kritischen Analyse zu unterziehen. Auch Vergleiche zu früheren Beurteilungen sind sinnvoll. So kann man auf eventuelle Veränderungen, die sich auch auf der Waage beim Bauchumfang oder beim Körperfett zeigen können, kurzfristig reagieren und sich wieder etwas intensiver mit dem SOD-Programm beschäftigen.

Informationen in
Portionen

Richtig essen – aber wie?

Eiweiß:	4,1 kcal (17 kJ) pro Gramm
Kohlenhydrate:	4,1 kcal (17 kJ) pro Gramm
Fett:	9,3 kcal (39 kJ) pro Gramm
Alkohol:	7,0 kcal (29 kJ) pro Gramm

Primäres Ziel ist die Einschränkung der **Energiezufuhr.** Natürlich ist es auch wichtig, was man isst und dass alle wichtigen Nährstoffe in ausreichender Menge zugeführt werden. Dazu finden Sie auf den nächsten Seiten die genaue Anleitung und viele Tipps. Ziel ist es ja, dass Sie Ihr Ernährungsverhalten langfristig ändern und keine einseitige Diät machen. Sie sollen mit Ihrem künftigen Essverhalten im ersten Schritt abnehmen, aber damit auch langfristig Ihr Gewicht halten können. Aus diesem Grund ist es besonders wichtig, dass die aktuellen Ernährungsempfehlungen eingehalten werden.

Energiebilanz

Die tägliche Energiezufuhr sollte dem täglichen Energieverbrauch entsprechen. Halten sich beide die Waage, spricht man von einer ausgeglichenen Bilanz. Hierbei kommt es weder zu einer Zunahme noch zu einer Abnahme des Körpergewichtes. Ist die Bilanz positiv, wird Körpergewicht zugenommen und bei negativer Bilanz kann man abnehmen.

Energie

Die Energie, die mit der Nahrung aufgenommen oder vom Körper verbraucht wird, wird in **Kilokalorien oder Kilojoule** gemessen. Eine Kalorie drückt den Energiegehalt der Nahrung aus, aber auch die Energie, die der Körper zur Verrichtung von Arbeit benötigt, um 1 Liter Wasser um 1 Grad C zu erwärmen.

Die Energieeinheit wurde vor ein paar Jahren durch die Einheit Joule ersetzt. Die Umrechnung erfolgt recht einfach: 1 Kilokalorie (kcal) = 4,2 Kilojoule (kJ) und 1 kJ = 0,24 kcal. Also vereinfacht umgerechnet: Kalorien werden mit 4 multipliziert um Joule zu erhalten oder Joule werden durch 4 dividiert um Kalorien zu erhalten. Umgangssprachlich wird zu Kilokalorien (kcal) immer Kalorien gesagt. Die Maßeinheit Joule hat sich aber im Alltag nicht durchgesetzt. Jeder spricht von Kalorien. Das ist auch der Grund, warum in der Folge immer die alte Einheit verwendet wird.

> Der Energiebedarf setzt sich zusammen aus **Grundumsatz (50 bis 70 %) + Arbeitsumsatz (20 bis 40 %) + Thermogenese (10 %).**

Wir verbrauchen ständig Energie um leistungsfähig zu sein, vergleichbar mit Maschinen, die ohne Treibstoff nicht funktionstüchtig sind. Unsere Nahrungsbestandteile Eiweiß und Kohlenhydrate liefern pro Gramm 4,1 kcal (17 kJ), Fett hingegen doppelt so viel. Aber auch Alkohol belastet unser Energiekonto.

Der **Grundumsatz** ist jene Energiemenge, die ein Mensch in völliger Ruhe und im Liegen (12 Stunden nach der letzten Nahrungsaufnahme) in einem Raum mit einer Temperatur von 20 Grad C durchschnittlich verbraucht. Er dient zur Aufrechterhaltung der Körpertemperatur, der Atmung, der Herztätigkeit, des Muskeltonus und aller in den Körperzellen ablaufenden chemischen Vorgänge. Die Höhe des Grundumsatzes ist abhängig von verschiedenen Faktoren. Erhöht ist er durch einen hohen Muskelanteil (deshalb verbrauchen auch Männer im Vergleich zu Frauen mehr Energie!), bei einer Schilddrüsenüberfunktion, bei Fieber und ab der 22. Schwangerschaftswoche. Im Alter sinkt dieser Teil des Energiebedarfs sowie auch bei einseitigen Diäten.

Alter	Männer	Frauen
15 bis unter 19 Jahren	1.820	1.460
19 bis unter 25 Jahren	1.820	1.390
25 bis unter 51 Jahren	1.740	1.340
51 bis unter 65 Jahren	1.580	1.270
65 Jahre und älter	1.410	1.170

Höhe des Grundumsatzes in kcal/d

Sehr oft wird auch als Faustregel angegeben, dass der Grundumsatz **1 kcal pro Kilogramm Körpergewicht und Stunde** beträgt.

Achtung: Diese Angaben sind aber sehr ungenau, da die individuellen Besonderheiten des Körpers nicht berücksichtigt wurden und sich auf normalgewichtige Personen beziehen. Außerdem kann jede einseitige Diät den Grundumsatz langfristig senken. Sehen Sie deshalb die Zahlen nur als Richtwerte.

Männer brauchen mehr Energie!

Auf Grund der größeren Muskelmasse haben Männer einen höheren Grundumsatz als Frauen. Sie verbrauchen deshalb mehr Energie und »dürfen«

Männer verlieren zu viele Kilos leichter als Frauen.

auch wesentlich mehr essen. Auch während der Gewichtsreduktion können sie mehr essen und nehmen schneller ab.

Der **Arbeitsumsatz (= Leistungsumsatz)** ist jede über den Grundumsatz hinausgehende Leistung. Die Höhe des Leistungsumsatzes ist in erster Linie davon abhängig, welche Art körperliche Arbeit man verrichtet und wie hoch das Körpergewicht ist.

Beeinflusst wird der Leistungsumsatz aber auch von der Umgebungstemperatur: Im Winter ist der Energiebedarf höher, da Energie für die Aufrechterhaltung der Körpertemperatur benötigt wird.

Einfluss auf den Arbeitsumsatz hat jede Art von körperlicher Aktivität. Je mehr man sich bewegt, desto größer ist dementsprechend der Energieverbrauch (siehe auch Kapitel Bewegung). Gerade in der Gewichtsreduktion ist es wichtig, dass diese Komponente des Energieverbrauchs erhöht wird.

Auf diese unterstützende Maßnahme sollte auf keinen Fall verzichtet werden, da ja nicht nur der Energieverbrauch steigt, sondern auch das Verhältnis Körperfett zu Muskelmasse. Die Reduktion des Grundumsatzes wird vermindert und es kommt neben der Verbesserung der allgemeinen Fitness auch zur Verbesserung der Herz-, Kreislauf- und Lungenfunktion.

Erhöhter Energiebedarf durch die Nahrungsaufnahme

Nicht nur jede Form von Aktivität verbraucht Energie, auch die der Nahrungsaufnahme folgenden Stoffwechsel steigern den Energieumsatz. Jeder Nährstoff liefert nicht nur Energie, sondern verbraucht auch solche bei der Verdauung, beim Abbau und beim Transport (= nahrungsinduzierte Thermogenese oder spezifisch dynamische Wirkung). Mit dieser erhöhten Stoffwechselaktivität ist auch immer eine erhöhte Wärmeabgabe verbunden.

Diese Wärmeabgabe ist bei schlechten Futterverwertern größer als bei guten Futterverwertern. Diese speichern den Energieüberschuss eher als Fett.

Der Mehrverbrauch an Energie ist für jeden Nährstoff unterschiedlich:

Bei Fetten liegt die Umsatzsteigerung bei nur 2 – 4 % des Grundumsatzes und bei Kohlenhydraten im Bereich von 4 – 7 %. Eiweiß bewirkt hingegen eine Umsatzsteigerung von 18 bis 25 %, die auch noch am längsten anhält. In Summe kann man davon ausgehen, dass bei einer normalen Mischkost diese Energiesteigerung ca. 10 % ausmacht.

Entschärft Scharfes Kalorienbomben?

Jeder kennt das, man isst etwas Scharfes und beginnt sofort zu schwitzen. Der Schluss liegt nahe, dass scharfe Gewürze die Thermogenese (= Wär-

mebildung nach der Nahrungsaufnahme) erhöhen. Im Tierversuch hat sich das auch bestätigt. Wurde dem Futter Senf oder Chili beigemengt, stieg der Energieverbrauch. Beim Menschen konnte dieses Ergebnis aber nur bei einer sehr fettreichen Ernährung festgestellt werden.

Nur wer sehr fett isst, nimmt damit auch beträchtliche Mengen an Energie zu, die durch die vermehrte Wärmebildung nicht ausgeglichen werden kann.

Richtwerte für die Energiezufuhr

Diese Richtwerte sind für Personen mit Normalgewicht (grobe Richtlinie: Körpergröße in cm minus 100). Bei Über- oder Untergewicht müssen die Werte herab- oder hinaufgesetzt werden, um so das Sollgewicht zu erreichen.

Geringe körperliche Aktivität: entspricht einer ausschließlich sitzenden Tätigkeit oder auch einer liegenden Lebensweise (alte, gebrechliche Personen) und ausschließlich sitzenden Tätigkeit mit wenig oder keiner anstrengenden Freizeitaktivität (z. B. Büroangestellte).

Alter	Kcal / Tag Durchschnitt		Wert für geringe körperliche Aktivität Kcal / kg		Werte für mittlere körperliche Aktivität Kcal / kg		Werte für starke körperliche Aktivität Kcal / kg	
	m	w	m	w	m	w	m	w
7 bis unter 10 Jahren	1.900	1.700	66	60	75	68	83	76
10 bis unter 13 Jahren	2.300	2.000	56	49	64	55	71	62
13 bis unter 15 Jahren	2.700	2.200	50	41	56	47	63	52
15 bis unter 19 Jahren	3.100	2.500	39	36	46	43	60	55
19 bis unter 25 Jahren	3.000	2.400	35	33	41	40	54	51
25 bis unter 51 Jahren	2.900	2.300	34	33	39	39	52	50
51 bis unter 65 Jahren	2.500	2.000	32	32	35	35	48	48
65 Jahre und älter	2.300	1.800	30	30	34	33	46	46

Legende: m = männlich; w = weiblich

ACHTUNG

Es gibt Formeln, um den Tagesenergiebedarf genau zu errechnen, nur zeigt die Praxis, dass auch hier der tatsächliche Bedarf vom errechneten Wert oft weit abweicht. Genau dasselbe kann passieren, wenn Sie Ihren Energiebedarf durch die Tabelle ermitteln.

Mittlere körperliche Aktivität: sitzende Tätigkeit mit zeitweiligem zusätzlichem Energieaufwand für gehende und stehende Tätigkeiten (z. B. Kraftfahrer, Studierende, Laboranten, Fließbandarbeiter) und überwiegend gehende und stehende Arbeit (Hausfrauen, Verkäufer, Kellner, Mechaniker, Handwerker).

Starke körperliche Aktivität: körperlich anstrengende berufliche Arbeit (z. B. Bauarbeiter, Landwirt, Waldarbeiter, Bergarbeiter, Leistungssportler).

Bauarbeiter brauchen mehr Energie!

Im Alter braucht man weniger Energie!

Der Energieverbrauch sinkt mit zunehmendem Alter. Zwischen den Empfehlungen für 15- bis 19-Jährige und über 65-Jährige liegt eine Differenz

bei Männern von 800 kcal pro Tag und bei Frauen von 700 kcal pro Tag! Deshalb muss man mit zunehmendem Alter immer weniger essen um das Körpergewicht halten zu können und das Abnehmen wird immer schwieriger.

Zu viel an Energie bedeutet zu viel an Körpergewicht

Wird dem Körper aber mehr Energie zugeführt, als er braucht, wird diese in Fett umgewandelt und so im Körper als Depotfett gespeichert.

Diese so genannte positive Energiebilanz bedeutet also eine Gewichtszunahme.

Werden beispielsweise täglich nur 1 Esslöffel Öl oder 5 Teelöffel Zucker über den Bedarf hinaus gegessen, bedeutet das eine Gewichtszunahme von 9 Gramm pro Tag, das entspricht aber in fünf Jahren einer Gewichtszunahme von 16,5 Kilogramm.

Oder: Isst man täglich 100 kcal über den Bedarf hinaus (= 3 dünne Scheiben Salami, 10 Stk. Kartoffelchips, 1 Scheibe Emmentaler), so erhält man einen Energieüberschuss von 36.500 kcal pro Jahr. Damit kann man theoretisch 5 kg Körperfett zunehmen.

Theoretisch könnte man aber täglich nur 100 kcal einsparen oder auch durch vermehrte Bewegung verbrauchen und auch so 5 kg pro Jahr abnehmen.

ACHTUNG

Es ist aber nicht gleich woher die Energie stammt. Kalorien aus Fett oder Alkohol schlagen sich entscheidend anders aufs Fettkonto, als Kalorien aus Kohlenhydraten oder Eiweiß. Aber wenn die Energiezufuhr über dem Energiebedarf liegt, ist eine Kalorie immer eine Kalorie, gleichgültig, ob sie aus Fetten, Kohlenhydraten, Eiweiß oder Alkohol stammt.

Wenn Sie die Fotos betrachten, sehen Sie immer 100 kcal. Lebensmittel, die sehr große Fett- oder Zuckermengen haben, sind immer nur in kleinen Portionen zu sehen. Fett- und zuckerreduzierte Lebensmittel sowie Obst und Gemüse jedoch mengenmäßig in großen Portionen.

1 Rippe Schokolade

10 Stück Maltesers

11 g Öl

13 g Butter

90 g gekochter Reis

80 g gekochte Teigwaren

1 Scheibe (54 g) Vollkornbrot

17 g geröstete Erdnüsse

1 kg Gurken

323 g Erdbeeren

4 Stück Pflaumen

714 g Karfiol

2 kleine Äpfel

5 Stück Tomaten

Weniger Energie bedeutet Körpergewicht zu verlieren

Wird dem Körper weniger Energie als er braucht zur Verfügung gestellt, muss er auf körpereigene Reserven zurückgreifen. Es besteht die Möglichkeit das Energiedefizit mit der Nahrung aus Glykogen, Eiweiß und Fett zu decken. Die größte Energiereserve im Körper ist das Fettgewebe. Ziel ist natürlich, dass Fett aus den Depots abgebaut wird und die lästigen Fettpölsterchen schmelzen.

MERKE

Abnehmen kann man nur, wenn die Energiebilanz negativ wird! Man kann weniger Energie zuführen oder auch mehr verbrauchen. Ideal ist die Kombination von beidem!

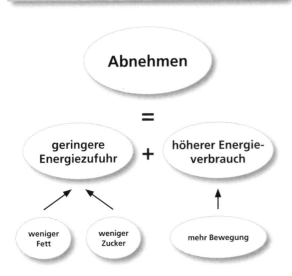

Um 1 kg Körperfett zuzunehmen, muss man ungefähr 7.000 kcal über den Bedarf essen und wenn man 1 kg Körperfett abnehmen will, muss man 7.000 kcal einsparen!

Glauben Sie keinem großen Gewichtsreduktionsversprechen!

Große Überschriften in diversen Zeitungen und Zeitschriften versprechen oft mühelos in kurzer Zeit einiges an Gewicht zu verlieren. 5 kg pro Woche oder 10 kg pro Monat sind da keine Seltenheit. Werden Sie aber kritisch gegenüber solchen Versprechungen. Sie können in kurzer Zeit nicht so viel an Körperfett verlieren.

Dazu ein Rechenbeispiel: Wenn Ihr täglicher Energiebedarf bei 2.000 kcal liegt, könnten Sie im günstigsten Fall pro Woche bei einer Nulldiät »nur« 2 kg Körperfett reduzieren.

Grundsätzliches zur Energiezufuhr während der Gewichtsreduktion:

– 500 kcal/d

Will man pro Woche ein halbes Kilo Körperfett abbauen, muss man täglich 500 kcal unter dem Bedarf liegen.

Der Bedarf ist aber nicht so leicht zu ermitteln. Wie bereits beschrieben, kann man sich ganz grob nach der empfohlenen Zufuhr richten.

Da aber noch zusätzliche Faktoren den Energiestoffwechsel beeinflussen, müssen die errechneten Werte aber nicht stimmen. Der beste Kontrollparameter ist aber das Körpergewicht.

Die Waage – Ihr ständiger Begleiter bei der Gewichtsabnahme.

Am Anfang geht es schneller – ab dem 10. Tag geht es langsam!

Sie haben sicher auch schon die Erfahrung gemacht, dass in den ersten Tagen sehr schön abgenommen wird. Aber Achtung, es wird leider nicht nur Fett reduziert. Sparen Sie täglich 500 kcal ein, dann können Sie in der ersten Woche unter Umständen pro Tag bis zu 600 g abnehmen.

Ab dem 10. Tag gehen aber dann täglich nur mehr ca. 80 g verloren. Der Grund für die anfänglich stärkere Gewichtsreduktion ist aber ganz einfach: Am Anfang werden viele Depots geleert, so auch die Glykogenspeicher. Glykogen bindet aber auch noch die 4fache Menge Wasser. Damit verliert der Körper seine Kohlenhydratreserven und scheidet auch noch Wasser aus. Wenn Sie weniger essen, nimmt natürlich auch das Stuhlvolumen ab und damit haben Sie auch weniger Gewicht auf der Waage, obwohl noch kaum Fett eingeschmolzen wurde.

Finger weg von einseitigen Diäten mit sehr geringer Energiezufuhr!

Bei sehr geringer Energiezufuhr schaltet der Körper auf Sparflamme. Die zugeführte Energie wird besser verwertet und es wird weniger verbraucht. Alles im Körper stellt sich auf eine Hungersperiode ein. Isst man nur die Hälfte des Energiebedarfs, passt sich der Körper an und reduziert den Grundumsatz. Würde man das über 24 Wochen durchhalten, käme es zu einer Reduktion des Grundumsatzes um 40%.

Genau diesen Effekt sollten Sie aber vermeiden. Wird jetzt auch noch sehr wenig Eiweiß gegessen, kommt es auch zum Abbau von Muskeleiweiß und damit sinkt der Energiebedarf noch weiter (siehe dazu auch Eiweißzufuhr).

Durchschnittlich 1.200 kcal pro Tag sind die Untergrenze

Auch während der Gewichtsreduktion sollten Sie eine Mindestmenge an Energie konsumieren. Durchschnittlich sollte die Untergrenze von 1.200 kcal pro Tag nicht unterschritten werden.

Sie können aber sehr wohl zum Ausgleich von größerer Nahrungszufuhr (nach Einladungen, nach Außer-Haus-Essen, usw.) so genannte Schalttage einlegen.

Schalttage können helfen!

Dabei handelt es sich um einzelne Tage, an denen man nur zwischen 500 und 800 kcal pro Tag isst. Besonders empfehlenswert sind Obst- oder Reistage. Machen Sie aber nur einen Schalttag pro Woche.

Schlank ohne Diät

TIPP

Nehmen Sie sich Kinder als Vorbild. Diese essen sehr unterschiedliche Mengen. Auch Sie sollten nicht jeden Tag die gleiche Energiemenge zuführen. Der Körper gewöhnt sich sehr schnell daran. Wichtig ist, dass die durchschnittliche Zufuhr pro Woche stimmt.

Wichtig ist aber nicht nur wie viel, sondern auch wann gegessen wird!

Es gibt viele Sprichwörter, die auf die Aufteilung der Energiezufuhr über den Tag hinweisen. Sie haben immer gemein, dass sie darauf hinweisen, dass man im Laufe des Tages immer weniger essen sollte. »Frühstücken wie ein Kaiser, Mittagessen wie ein König und Abendessen wie ein Bettelmann« oder ein arabisches Sprichwort sagt: »Das Frühstück iss alleine, das Mittagessen teile mit deinem besten Freund und das Abendessen schenke deinem Feind«. Essen versorgt den Körper mit Energie und mit den wichtigen Nährstoffen. Das **Frühstück** soll Energie liefern und die leeren Speicher wieder auffüllen. Jeder Frühstücksmuffel soll zumindest etwas trinken.

Eine **Zwischenmahlzeit am Vormittag** hilft mit die Leistungsspitze am Vormittag zu erreichen. Alle Speisen, die sehr fett und/oder zuckerhaltig sind, belasten aber den Körper. Dies gilt auch für das **Mittagessen.** Große Portionen, deftige Speisen, große Fettmengen machen den Körper müde und träge. Um 15 Uhr erreicht man ein Mittagstief, das durch eine kleine Jause (beispielsweise Obst oder Jogurt) wieder entschärft werden kann.

Das **Abendessen** wird bei uns immer mehr zur Hauptmahlzeit. Eigentlich sollte aber das Abendessen eine kleinere Mahlzeit sein.

Ein voller Bauch am Abend führt nicht selten zu einem unruhigen Schlaf oder auch zu schlechten Träumen. Eine Aufnahme von größeren Mengen kurz vor dem Zu-Bett-Gehen ist auch kontraproduktiv, da damit die Ausschüttung des Wachstumshormons, die ausschließlich in der Nacht erfolgt, behindert wird. Dieses Hormon ist aber gerade für die Verstoffwechselung oder auch Fettverbrennung mitverantwortlich.

ACHTUNG

Es kommt nicht so sehr darauf an, wann man isst, sondern wie viel und was! Mehrere kleine Mahlzeiten über den Tag verteilt, verhindern Heißhungerattacken, bei denen man unweigerlich viel isst. Prinzipiell sollte jeder seine optimale Mahlzeitenaufteilung finden, die ja auch von sozialen, beruflichen und familiären Gegebenheiten abhängt.

Dinner Canceling hilft beim Einsparen von Energie und hält jung!

Der Verzicht aufs Abendessen hat viele Vorteile. Es ist das »Anti-Aging-Mittel! Da aber Essen soziale Aspekte beinhaltet, ist diese Empfehlung sehr schwierig einzuhalten. Wenn schon Abendessen, aber dann so früh wie möglich, so wenig wie möglich und so fettarm wie möglich. Den wahren Jungbrunnen erhält man aber auch, wenn man mindestens zweimal pro Woche seine Nahrungsaufnahme über den Zeitraum von 14 Stunden einstellt. Also um 17 Uhr Abendessen und erst um 7 Uhr wieder frühstücken.

Weniger Energie bei mehr Volumen

Beschäftigen Sie sich einmal mit dem Energiegehalt von Lebensmitteln und Speisen. Haben Sie gewusst, dass eine Leberkäse-Semmel den gleichen Energiegehalt hat wie ein Wiener Schnitzel vom Kalb mit einer Portion Salat mit Jogurtdressing? Wichtig ist nun, dass Sie die Energiezufuhr einschränken, aber dafür Lebensmittel und Speisen auswählen, die mehr Volumen haben und Sie sättigen. Dazu gehören vor allem Obst und Gemüse.

Langsam essen!

Das Sättigungsgefühl kommt erst nach ungefähr 20 Minuten. Essen Sie daher langsam und kauen Sie die Nahrung sehr gut. Wer schnell isst, isst auch meistens zu viel, da ja bevor der Körper satt signalisiert, schon zu viel hineingestopft wurde.

Schlank ohne Diät
TIPP

Essen Sie bewusst langsam. Kauen Sie jeden Bissen mindestens 20-mal (zählen Sie am Anfang mit) oder legen Sie während des Essens das Besteck weg.

Hunger oder Appetit?

Wenn Ihr Körper nach Nahrung verlangt, dann fragen Sie nach. Ist es tatsächlich Hunger oder eigentlich nur Appetit auf ein bestimmtes Gericht? Sie werden bald merken, dass Sie eigentlich nie wirklich Hunger haben.

Sie sollen zukünftig mehr essen, aber das Richtige!

Betrachten Sie die nachfolgenden Bilder.

Der Energiegehalt beider Seiten ist immer gleich. Nur finden Sie auf der rechten Seite immer viel größere Portionen!

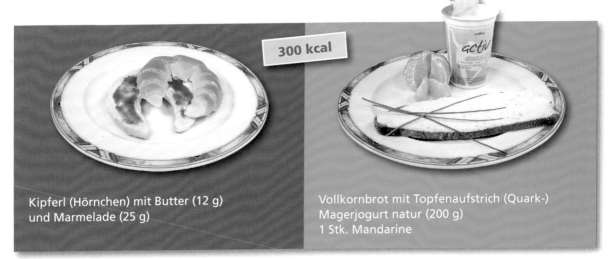

300 kcal

Kipferl (Hörnchen) mit Butter (12 g) und Marmelade (25 g)

Vollkornbrot mit Topfenaufstrich (Quark-) Magerjogurt natur (200 g)
1 Stk. Mandarine

Wenn Sie zum Frühstück ein Kipferl mit einer Portion Streichfett und Marmelade essen, konsumieren Sie fast 300 kcal. Ersetzen Sie das Kipferl durch ein Scheibe Vollkornbrot mit Topfenaufstrich, den Sie aus Magertopfen selbst herstellen, können Sie auch noch einen Becher Magerjogurt und eine Mandarine essen um 300 kcal zu verspeisen.

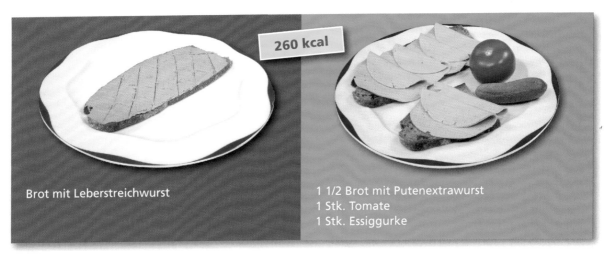

260 kcal

Brot mit Leberstreichwurst

1 1/2 Brot mit Putenextrawurst
1 Stk. Tomate
1 Stk. Essiggurke

Lieben Sie pikante Brotbeläge? Auch hier gibt es eine Reihe von Alternativen. Ein Stück Brot mit Leberstreichwurst entspricht dem Energiegehalt von 1 1/2 Stücken Brot mit Putenextrawurst, einer Tomate und einer Essiggurke.

schlank ohne Diät

450 kcal

Leberkäsesemmel

2 Stk. Kornweckerln mit Putenkrakauer
2 Stk. Tomaten
2 Stk. Essiggurken

Eine der beliebtesten Zwischenmahlzeiten, die Leberkäsesemmel, hat 450 kcal. Eigentlich recht üppig für eine Zwischenmahlzeit. Die gleiche Energiemenge erhalten Sie nicht nur durch eine kleine Portion Wiener Schnitzel, sondern auch durch 2 Stück Kornweckerln mit Putenkrakauer, 2 Stück Tomaten und noch 2 Stück Essiggurken.

245 kcal

Fruchtjogurt, 3,6 %, gezuckert (250 g)

1 Magerjogurt (200 g)
1 Stk. Banane
100 g Erdbeeren
1 Stk. Marille (Aprikose)

Wenn Sie einen Becher mit 250 g Fruchtjogurt mit einer Fettstufe von 3,6 % und auch noch mit Zuckerzusatz essen, schlägt sich das mit 245 kcal auf Ihr Energiekonto nieder. Wählen Sie stattdessen einen Becher Magerjogurt mit 200 g, können Sie auch noch eine Banane, eine Marille (Aprikose) und 100 g Erdbeeren dazu verzehren.

550 kcal

1 Tafel Schokolade (100 g)

1 Rippe Schokolade (16,7 g)
2 Stk. Bananen
200 g Weintrauben
2 Stk. getrocknete Feigen
3 Stk. Erdbeeren

Was schmeckt eigentlich köstlicher als Schokolade? Die Kombination von Fett und Zucker macht sie für viele zu einer wahren Gaumenfreude. Eine Tafel hat 539 kcal. Wenn Sie aber nur eine Rippe essen, könnten Sie für diesen Energiegehalt noch 2 Stück Bananen, 200 g Weintrauben, 2 Stück getrocknete Feigen und 3 Stk. Erdbeeren essen. Eine riesige Menge!

1.200 kcal

1 Portion Spareribs mit Pommes

1 Portion Steak
mit Folienkartoffeln und Gemüse
1 große Salatschüssel mit Jogurtdressing (210 g)
1/8 l Wein
1 Portion Birne Helene

Eine Portion Spareribs mit Pommes hat 1.200 kcal. Für diese Energiemenge könnten Sie zwei Portionen Steaks mit Folienkartoffeln und Gemüse essen. Oder Sie essen nur eine Portion Steak, können dafür aber ein Glas Wein (1/8 l) trinken und noch eine große Salatschüssel mit Jogurtdressing (210 g) und noch eine Portion Birne Helene als Dessert verzehren.

schlank
ohne Diät

805 kcal

Wiener Schnitzel vom Schwein
mit Pommes frites (175 g)

Pute natur (150 g)
Kartoffeln gekocht (150 g)
1 Port. Mischgemüse (200 g)
1 Stück Apfelstrudel

Eine Portion Wiener Schnitzel mit Pommes hat den Energiegehalt von 805 kcal. Für diese Energiemenge könnten Sie ein Putenschnitzel gebraten mit einer Portion gekochten Kartoffeln, einer Portion Mischgemüse und noch dazu ein Stück Apfelstrudel essen.

Fett

Fett dient dem Körper vor allem zur Energiebereitstellung. **1 g liefert 9,3 kcal (39 kJ),** also doppelt so viel wie Eiweiß oder Kohlenhydrate. Fett stellt aber auch die essentiellen (= lebensnotwendigen) Fettsäuren, die vom Körper nicht aufgebaut werden können, zur Verfügung und durch Fett können die **fettlöslichen Vitamine (A, D, E, K)** erst vom Magen-Darm-Trakt in den Organismus aufgenommen werden.

Fett macht fett!

Die überhöhte Fettzufuhr ist die Hauptursache für die hohe Nahrungsenergiezufuhr. In Kombination mit einer geringen körperlichen Aktivität trägt eine hohe Fettzufuhr zur Entstehung von Übergewicht und deren Folgeerkrankungen bei. Fette liefern doppelt so viel Energie wie Eiweiß und Kohlenhydrate. Außerdem können sie ohne großen Energieverlust in Körperfett umgewandelt werden.

Fett kann unbegrenzt gespeichert werden und es sättigt weniger. Im Gegensatz zu den Kohlenhydraten wird bei einer Mehrzufuhr an Fett auch nicht mehr »verbrannt« (= oxidiert), sondern es wird gleich im Fettdepot gespeichert.

Neben der Quantität ist auch die Qualität ausschlaggebend!

Fette bestehen chemisch gesehen aus einer Verbindung von Glycerin mit Fettsäuren.

Man unterscheidet je nach Sättigungsgrad zwischen **gesättigten** und **ungesättigten Fettsäuren.** Gesättigte Fettsäuren haben in ihrem chemischen Aufbau der Kohlenstoffkette keine Doppelbindung.

Demgegenüber haben ungesättigte Fettsäuren eine **(einfach ungesättigte Fettsäure),** zwei **(zweifach ungesättigte Fettsäure)** oder mehrere Doppelbindungen **(mehrfach ungesättigte Fettsäure).**

Daher kommen also die Begriffe gesättigte, einfach- und mehrfach ungesättigte Fettsäuren.

Man unterscheidet:

- Fette mit einem hohen Gehalt an gesättigten Fettsäuren wie Schmalz oder Kokosfett,

- Fette mit einem hohen Gehalt an einfach ungesättigten Fettsäuren wie Olivenöl, Rapsöl oder Erdnussöl,

- Fette mit einem relativ hohen Anteil an mehrfach ungesättigten Fettsäuren wie Distelöl, Sonnenblumenöl, Sojaöl oder Maiskeimöl.

Diese chemische Unterscheidung ist wichtig für die Wirkung der Fette im Organismus. Fette mit einem hohen Anteil an mehrfach ungesättigten Fettsäuren können den **Cholesterinspiegel** des Blutes senken.

Sie sollten deshalb anstelle von gesättigten Fettsäuren, die vor allem in tierischen Fetten enthalten sind, konsumiert werden, da diese den Cholesterinspiegel erhöhen.

Einfach ungesättigte Fettsäuren können den Cholesterinspiegel auch günstig beeinflussen, insbesondere, wenn sie anstatt von gesättigten Fettsäuren konsumiert werden.

Lebensmittel pro 100 g	Fettgehalt in Gramm
Butter	83 g
Haselnüsse, geröstet	66 g
Sonnenblumenkerne	49 g
Kantwurst	45 g
Mohn	42 g
Schlagobers (-sahne)	36 g
Oliven, schwarz	36 g
Parmesan	35 g
Schokolade	32 g
Emmentaler, 45 % F. i. T.	29 g
Extrawurst	24 g
Haferflocken	7 g

Fettgehalt in Lebensmitteln

Speisen pro Portion	Fettgehalt in g
Überbackene Schinkenfleckerln (305 g)	51 g
Lasagne (285 g)	48 g
Schweinsstelze gebraten (250 g)	46 g
Backhuhn (340 g)	43 g
Panierter Camembert (125 g)	41 g
Pizza mit Salami (250 g)	35 g
Schweinskotelett gebraten (135 g)	29 g
Schweinsbraten (170 g)	27 g
Wiener Schnitzel vom Schwein (170 g)	27 g
Spagetti Carbonara (215 g)	24 g
Frankfurter, 1 Paar	23 g
Wurstknödel (175 g)	20 g

Fettgehalt in Speisen

Vorsicht vor versteckten Fetten!

Fett ist auch ein Geschmacks- und Genussverbesserer. Fettreiche Speisen schmecken besonders gut und fein. 38 % der täglichen Fettzufuhr stammen aus Fettquellen wie Speiseöl, Speisefett, Butter und Schmalz. Die restlichen 62 %, die so genannten unsichtbaren Fette, stammen aus Fleisch und Fleischprodukten, Milch und Milchprodukten, Eiern und Nüssen.

30 % gilt als Richtlinie für die Zufuhr!

Die empfohlene Fettzufuhr richtet sich nach der Energiezufuhr. Höchstens 30 % der Energie sollten aus Fett stammen (= **Energieprozent, En%**). Bei 2.000 kcal sind das 65 Gramm.

Dies lässt sich sehr einfach berechnen:

- 30 % von 2.000 kcal sind 600 kcal. Da 1 Gramm Fett 9,3 kcal liefert, wird ganz einfach nochmals durch 9,3 dividiert = 64,5 Gramm.

Besonders günstig sind alle Nahrungsmittel und Speisen, die weniger als 30 Energieprozent Fett enthalten.

In den Kalorien-Fibeln findet man neben dem Nährstoffgehalt in Gramm auch immer den Fettgehalt in Energieprozent.

Dazu ein Beispiel: Ein halbes Backhuhn hat 85 Gramm Fett (61 % der Energie stammen vom Fett), ein halbes Grillhuhn mit Haut hat zwar »nur« mehr 33 Gramm Fett, doch stammen noch immerhin 59 % der Energie aus dem Fett. Eine Portion gebratene Hühnerbrust hat nur mehr 6,3 Gramm Fett und 30 Energieprozent!

30 % der Nahrungsenergie sollten in Form von Fett zugeführt werden. Täglich sollten nicht mehr als 24 Gramm als Streichfett konsumiert werden.

Energiezufuhr	30 En%
2.000 kcal	65 g
1.800 kcal	58 g
1.500 kcal	48 g
1.200 kcal	39 g

Empfohlene Fettzufuhr in Abhängigkeit von der Energieaufnahme

30 % der Nahrungsenergie sind bei einer Energiezufuhr von 2.000 kcal/d rund 65 g Fett, bei 1.500 kcal/d 48 g Fett.

ACHTUNG

Während Sie abnehmen, sollten Sie pro Tag nur insgesamt 40 g Fett essen!

Achten Sie darauf, wenn Sie Ihre Tagesprotokolle führen!

Wer Fett einspart, nimmt effektiv ab!

Ersetzen Sie fettreiche Nahrungsmittel durch fettarme. Viele Lebensmittel lassen sich ganz einfach austauschen, ohne dass der Geschmack oder der Genuss sehr leidet.

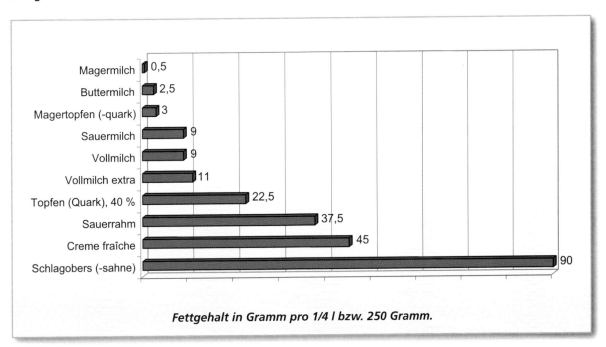

Fettgehalt in Gramm pro 1/4 l bzw. 250 Gramm.

Gerade bei den Hauptfettquellen, wie **Wurst und Milchprodukten,** gibt es bereits zahlreiche Alternativen, die köstlich schmecken.

Wenn Sie anstatt eines Jogurts mit 3,6 % Fett eines mit nur 1 % Fett verzehren, sparen Sie bereits 6,5 Gramm pro Becher! Wird eine Packung Topfen (Quark) mit 40 % Fett durch eine Packung Magertopfen(-quark) ausgetauscht, liegt die Einsparung bei 22 Gramm. Trinken Sie einen Liter Vollmilch erhöht sich Ihre Fettaufnahme um 36 Gramm. Wenn Sie Ihre Gerichte durch die Zugabe eines Bechers Sauerrahm verfeinern, reichern Sie diese mit immerhin 37,5 g an. Verwenden Sie Schlagobers (-sahne) sind es sogar 90 Gramm!

Natürlich gibt es Nahrungsmittel, die mit hohem Fettgehalt besonders köstlich schmecken. Dazu gehören sicherlich einige **Käsesorten.** Man braucht nicht auf alle Köstlichkeiten verzichten, verkleinern Sie aber Ihre Portionen.

Neuerdings beleben auch vorzüglich schmeckende Leichtkäse den Markt. Ihr Fettgehalt ist zwischen 15 und 25 % F. i. T., pro 100 g liefern sie zwischen 7 und 15 g Fett.

F. i. T. – absoluter Fettgehalt

Auf allen Käsesorten findet man die Angabe über den Fettgehalt in Form von F. i. T. (= Fett in der Trockenmasse). Daraus errechnet sich durch einfache Multiplikation der absolute Fettgehalt:

Hartkäse (Emmentaler, Bergkäse, Chester, Parmesan)	F. i. T.-Gehalt x 0,6
Schnittkäse (Edamer, Geheimratskäse, Tilsiter, Gouda, Butterkäse, Blau- und Grünschimmelkäse)	F. i. T.-Gehalt x 0,5
Weichkäse (Camembert, Brie, Schlosskäse, Romadur, Limburger)	F. i. T.-Gehalt x 0,4
Frischkäse (Gervais, Cottage Cheese, Topfen/Quark)	F. i. T.-Gehalt x 0,3

100 g Gervais mit 65 % F. i. T. enthalten demnach 19,5 g Fett (65 x 0,3), 100 g Camembert mit 45 % F. i. T. 18 g und 100 g Emmentaler mit 45 % F. i. T. 27 g.

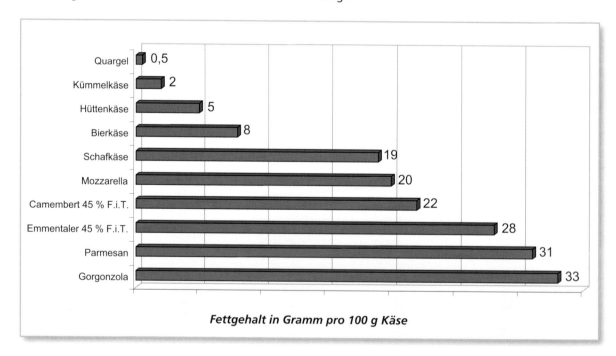

Fettgehalt in Gramm pro 100 g Käse

Besonders viel Fett können Sie auch bei der Auswahl der Wurstwaren treffen. Wenn Sie Wurst essen, verzichten Sie aber auf alle Fälle auf das Streichfett!

Vermeiden Sie Fettfallen

Es gibt eine ganze Reihe von Speisen, die durch ihre Zutaten zu wahren Fettbomben werden. Typische Beispiele sind alle frittierten Gerichte, aber auch sehr oft besonders »gesunde« Gemüsegerichte, wenn sie mit Eiern, Rahm oder auch Schlagobers (-sahne) verfeinert werden.

Spargel ist ein besonders energie- und fettarmes Gemüse. Üblicherweise wird er aber zu einem fettreichen Gericht, eine panierte Portion enthält 29 Gramm Fett!

Knabbern Sie so zwischendurch eine Packung geröstete Erdnüsse (200 g), verzehren Sie damit 99 Gramm Fett, eine Packung Kartoffelchips (200 g) hat »nur« 79 Gramm.

ACHTUNG

Obst und Gemüse sind klassische »low-fat-Produkte«, jedoch gibt es auch hier Ausnahmen. Besonders fettreich sind schwarze Oliven. Ein Glas mit 225 g enthält 80 Gramm Fett. Ein Stück Avocado hat auch über 70 Gramm Fett.

Jedes eingesparte Gramm Fett zählt!

Auf Grund der Energiedichte von Fett (1 Gramm liefert 9,3 kcal) zählt tatsächlich jedes Gramm, auf das Sie verzichten. Gewöhnen Sie sich langsam daran. Denken Sie, dass jeder Esslöffel Öl bereits 10 g Fett hat.

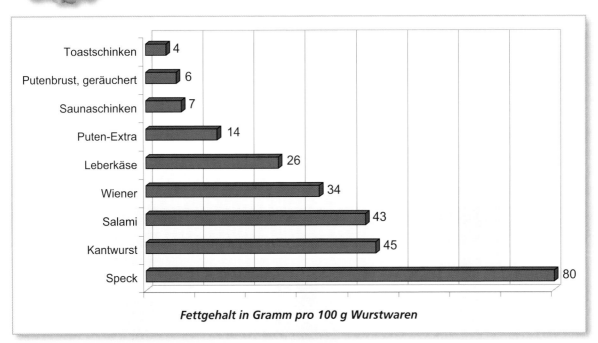

Wurstware	Fettgehalt
Toastschinken	4
Putenbrust, geräuchert	6
Saunaschinken	7
Puten-Extra	14
Leberkäse	26
Wiener	34
Salami	43
Kantwurst	45
Speck	80

Fettgehalt in Gramm pro 100 g Wurstwaren

Fettsparen beginnt beim Einkaufen!

Nehmen Sie sich besonders jetzt Zeit für Ihren nächsten Einkauf. Kontrollieren Sie die Nährwertangaben auf den Produkten und vergleichen Sie.

Sehr oft gibt es vergleichbare Produkte mit niedrigerem Fettgehalt. In einer europäischen Studie konnte nachgewiesen werden, dass man nur durch den Ersatz von fettreichen Produkten durch entsprechende fettarme 1 kg pro Monat abnehmen kann!

ACHTUNG

Fettfreie oder fettreduzierte Produkte sollten Sie nicht dazu verleiten, mehr davon zu essen. Das Ergebnis sieht man ja in den USA. Dort gibt es über 1.000 Lebensmittel mit reduziertem Fettgehalt am Markt.

Über 90 % der Amerikaner konsumieren diese auch, werden aber trotzdem nicht schlanker. Der Grund liegt dort in der Größe der Portionen. Wer eine ganze Packung Eis (auch wenn es fettreduziert ist) isst, wird nicht abnehmen.

ACHTUNG

Diätprodukte sind nicht immer auch fettreduziert. »Diät« kann sich ohne weiteres auf die Fettzusammensetzung beziehen.

Ein Diätaufstrich hat oft den gleichen Fettgehalt, nur die Fettsäurezusammensetzung (höherer Anteil an ungesättigten Fettsäuren) ist anders.

Fettarme Zubereitungsarten wählen!

Fettarme Lebensmittel können durch die Zubereitung erst zu richtigen Fettbomben werden. So hat eine Portion Grillhuhn mit Haut (1/4 Huhn) 17 Gramm Fett, eine Portion Backhuhn aber 43 g!

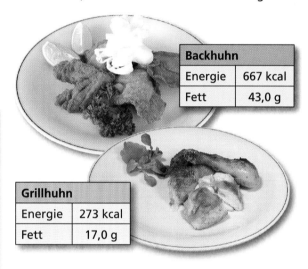

Backhuhn	
Energie	667 kcal
Fett	43,0 g

Grillhuhn	
Energie	273 kcal
Fett	17,0 g

Kartoffeln in der Schale gekocht, haben nur »Fettspuren«. Werden Sie aber zu Pommes verarbeitet, steigt natürlich auch der Fettgehalt. Eine Portion mit 175 g liefert bereits 25 Gramm Fett. Nur so werden sie zu wahren Dickmachern!

Pommes frites, 175 g	
Energie	356 kcal
Eiweiß	3,2 g
Fett	25,0 g
KH	26,0 g

Kartoffeln, 150 g	
Energie	107 kcal
Eiweiß	3,1 g
Fett	0,2 g
KH	22,2 g

schlank ohne Diät

Tipps zum Fettsparen

So können Sie Fett sparen:

▦ Erkennen Sie versteckte Fette. Wurst, Wurstwaren und Milch und Milchprodukte sind die Hauptquellen an versteckten Fetten.

▦ Trinken Sie statt Vollmilch fettarme Milch oder essen Sie Magerjogurt und magere Käsesorten (Bierkäse, Cottage Cheese).

▦ Essen Sie fettarme Wurst (Krakauer, Schinken, Putenwurst und -schinken).

▦ Essen Sie kleine Fleischportionen.

▦ Essen Sie nur selten Gebackenes oder Frittiertes.

▦ Achten Sie darauf, dass Ihre Snacks zwischendurch keine vollständigen Mahlzeiten (bezogen auf den Energiegehalt) sind.

▦ Bestellen Sie im Restaurant das Steak ohne Kräuterbutter, den Salat mit fettarmen Dressings (z. B. Jogurtdressing) bzw. ohne Mayonnaise, den Fisch oder das Fleisch natur anstatt gebacken.

▦ Benutzen Sie Pfannen mit nicht haftenden Belägen. Damit kann der Fettgebrauch beim Anbraten aufs Minimum reduziert werden.

▦ Ersetzen Sie in Rezepten Rahm durch Milch oder abgetropftes Magerjogurt (stellen Sie eine Plastikfiltertüte, in der ein Papierfilter steckt, auf ein Glas oder eine höhere Tasse, gießen Sie das Jogurt hinein und warten Sie, bis die Molke abgeronnen ist). Die entsprechende Konsistenz kann man durch Zugabe von Stärkemehl erreichen.

▦ Nehmen Sie einen Esslöffel und messen Sie Ihre Ölmenge ab, die Sie für das Salatdressing verwenden.

▦ Binden Sie Suppen entweder mit Kartoffelpüreepulver oder pürieren Sie etwas mitgekochtes Gemüse.

▦ Nehmen Sie bei Cremen, Topfentorten (Quark-) usw. immer Magertopfen(-quark) und ersetzen Sie Schlagobers(-sahne) durch Jogurt.

Vergleichen Sie die abgebildeten Nahrungsmittel und Speisen. Links steht immer die »fettreiche« und rechts die »fettarme« Variante.

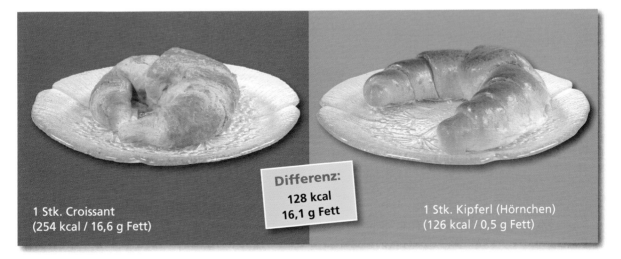

Differenz: 128 kcal 16,1 g Fett

1 Stk. Croissant (254 kcal / 16,6 g Fett)

1 Stk. Kipferl (Hörnchen) (126 kcal / 0,5 g Fett)

1 Puten-Cordon Bleu (230 g)
(537 kcal, 27 g)

Differenz:
281 kcal
18,3 g Fett

Putenschnitzel natur (150 g)
(256 kcal, 8,7 g)

1 Stück Sachertorte (140 g) mit
Schlagobers (55 g) (748 kcal, 47 g Fett)

Differenz:
506 kcal
41 g Fett

1 Stk. Guglhupf
(Napfkuchen) (75 g)
(242 kcal, 6 g Fett)

1 Pkg. Kartoffelchips (150 g)
(882 kcal, 53 g Fett)

Differenz:
576 kcal
50,6 g Fett

1 kleine Packung Salzstangerl
(Soletti), 80 g,
(306 kcal, 2,4 g Fett)

schlank
ohne **Diät**

Unsichtbares Fett sichtbar gemacht!

Der meiste Fettanteil in den verschiedenen Speisen und Nahrungsmitteln ist für uns nicht sichtbar.

Oft merkt man es nur an Fettabdrücken auf Papier. Wenn Sie eine Scheibe Extrawurst auf Löschpapier legen, bekommt dieses nach nur kurzer Zeit einen ordentlichen Fettklecks.

Bei den nächsten Abbildungen sehen Sie die Fettmenge der abgebildeten Speisen daneben im Schnapsglas (2 cl).

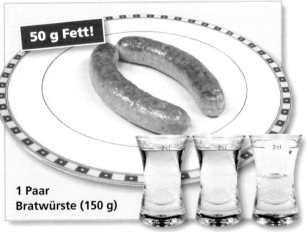

50 g Fett!

1 Paar Bratwürste (150 g)

23 g Fett!

1 Paar Frankfurter Würstchen (Wiener Würstchen)

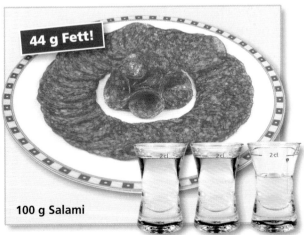

44 g Fett!

100 g Salami

25 g Fett!

100 g Extrawurst

27 g Fett!

1 Stk. Leberkäsesemmel

23 g Fett!

Wiener
Schnitzel (Kalb; 170 g)

35 g Fett!

1 Stück Pizza mit
Tomaten, Käse, Salami (250 g)

24 g Fett!

Spagetti Carbonara
(1 Port. = 215 g)

43 g Fett!

Schinken-
fleckerln
(1 Port. = 225 g)

schlank ohne Diät

29 g Fett!

Faschiertes Laibchen (110 g)
(Frikadelle)

7 g Fett!

1 Stk. Hühnerei

27 g Fett!

1 Tafel Schokolade (100 g)

16 g Fett!

Topfengolatsche (Quarktasche)
(1 Stk. = 170 g)

24 g Fett!

Karottentorte (1 Stk. = 130 g)

18 g Fett!

Bananensplit (1 Port. = 260 g)

Fette, die nicht fett machen!

MCT-Fette machen auf sich aufmerksam. MCT (= mittelkettige Triglyzeride) haben ihre besondere Bedeutung bei Krankheiten der Bauchspeicheldrüse und des Darmes, da sie sehr rasch und unabhängig von Gallensäuren in den Organismus aufgenommen werden können. Sie sind aber auch für Figurbewusste nicht uninteressant, da sie weniger Energie aufweisen (8,3 kcal/g) als herkömmliches Fett, den Energieumsatz steigern können und eventuell sogar die Thermogenese beeinflussen. Diesen vorteilhaften Eigenschaften stehen allerdings einige küchentechnische und geschmackliche Nachteile gegenüber. Sie sollten nicht hoch erhitzt werden und erst nach der Zubereitung dem Essen beigemengt werden. Man muss sich auch langsam an diese Fette gewöhnen, da sonst Nebenwirkungen wie Magenbeschwerden, Erbrechen usw. auftreten. Studien haben auch gezeigt, dass die positiven Änderungen im Stoffwechselverhalten nur für 2 Wochen anhalten, danach kommt es zu einem langsamen, aber deutlichen Nachlassen dieser Wirkung. Man muss also doch wieder langfristig seine Gewohnheiten ändern.

Es gibt auch so genannte »Fettersatzstoffe«. Durch spezielle technologische Verfahren kann beispielsweise Fett durch Ei- und/oder Milcheiweiß ersetzt werden. Sie werden fettreduzierten Produkten (z. B. Salatdressings, Brotaufstrichen, Käse) beigemengt, sind aber nur begrenzt hitzebeständig und keineswegs zum Backen und Braten geeignet.

Ganz ohne Fett geht es aber auch nicht!

Obwohl zu viel Fett in der Ernährung zahlreiche Nachteile mit sich bringt, geht es auch nicht ganz ohne Fett. Fett ist ja Träger von fettlöslichen Vitaminen. Die Vitamine A, C, E und K können im Darm nur in Anwesenheit von Fett in den Organismus aufgenommen werden. Darum wird Karottensaft immer mit Öl serviert. Aber: Es genügen ein paar Tropfen. Wenn Sie zum Karottensaft etwas Fetthaltiges essen (z. B. Brot mit Topfen/Quark-Aufstrich, Wurstbrot), brauchen Sie diesen überhaupt nicht »ölen«.

Zusätzlich sind Fette mit mehrfach ungesättigten Fettsäuren lebensnotwendig. Auch diese müssen mit der Nahrung zugeführt werden.

Die guten Fette – Fette mit ungesättigten Fettsäuren

Fette mit einem hohen Anteil an ungesättigten Fettsäuren werden heute als die »guten« Fette bezeichnet. Stehen die Fette mit einem hohen Anteil an gesättigten Fettsäuren (tierische Fette, Butter, Kokosfett) in enger Verbindung mit der Entstehung vieler Krankheiten (Herz-Kreislauf-Erkrankungen, Krebserkrankungen), so haben **ungesättigte Fette** mehr gesundheitliche Vorteile. Wobei aber angemerkt werden muss, dass eine Zufuhr von großen Mengen an mehrfach ungesättigten Fettsäuren mit einem erhöhten Risiko einhergeht, dass Lipidperoxide (= Risikostoff in der Ernährung, der möglicherweise krebserregende Effekte hat) gebildet werden. Mehr ist auch hier nicht immer besser! Auch qualitativ hochwertige Öle (Olivenöl, Distelöl, usw.) sollten nur sparsam verwendet werden, obwohl diese durch ihren natürlichen Vitamingehalt wieder schützend wirken.

Schlank ohne Diät TIPP

Empfehlung: Die Fettzufuhr sollte aus je 1/3 ungesättigten, einfach ungesättigten und gesättigten Fettsäuren bestehen.

Wundermittel CLA?

CLA ist die Abkürzung für so genannte konjugierte Linolsäure (= 2fach ungesättigte Fettsäure). Ihr wird neben einer krebsvorbeugenden und antioxidativen Eigenschaft auch ein Einfluss auf den Fett- und Muskelgehalt des Körpers zugeschrieben. Sie soll zum verstärkten Aufbau von Muskelmasse bei

gleichzeitigem Abbau von Körperfett beitragen. Ergebnisse dazu gibt es aus Tierversuchen, jedoch fehlt bis jetzt noch der wissenschaftliche Nachweis beim Menschen über die tatsächliche Wirkung und auch über die Dosierung. CLA kommt hauptsächlich in Fleisch (Rindfleisch) und fetten Milchprodukten (Butter) vor. Das Problem dabei: Der mögliche Effekt wird nicht erreicht, da gleichzeitig zu viel Fett aufgenommen wird.

Omega-3-Fettsäuren

Die **Omega-3-Fettsäuren,** eine spezielle Form der mehrfach ungesättigten Fettsäuren, können den Cholesterinspiegel regulieren und das Verkleben von Blutplättchen verhindern, sie senken hauptsächlich den Triglyzeridspiegel. Sie haben einen positiven Einfluss auf den Blutdruck und wirken entzündungshemmend. Damit tragen sie wesentlich zur Vorbeugung von Herz-Kreislauf-Erkrankungen bei. Sie können aber auch die Funktion des Immunsystems verbessern und damit der Entstehung von krebsartigen Tumorkrankheiten vorbeugen. Omega-3-Fettsäuren finden sich vor allem im Seefisch (Lachs, Sardine, Makrele, Tunfisch). Zuchtfische,

Lebensmittel pro 100 g	Omega-3-Fett-säuregehalt in g
Lebertran	20 g
Hering	1,6 g
Makrele	2,6 g
Lachs	1,4 g
Tunfisch	1,6 g
Austern	0,6 g
Kabeljau	0,3 g
Garnelen	0,3 g
Flunder	0,2 g
Hummer	0,2 g

Omega-3-Fettsäuregehalt in Lebensmitteln

die mit Fischfutter gefüttert werden, haben deutlich geringere Mengen an Omega-3-Fettsäuren. Hochwertige Pflanzenöle (wie Lein- und Sojaöl) enthalten eine hohe Menge an einer essentiellen Fettsäure (alpha-Linolensäure), die im Körper in die wirksame Omega-3-Fettsäure umgewandelt werden kann.

Butter oder Margarine?

Butter und Margarine unterscheiden sich in ihrer Fettsäurezusammensetzung. Butter hat als tierisches Fett hauptsächlich gesättigte Fettsäuren und enthält als Fettbegleitstoff Cholesterin. Die Kettenlänge der Fette ist aber kürzer, was sich in der besseren Verdaulichkeit äußert. Margarine hat sehr wenige und Pflanzenmargarine keine gesättigten Fettsäuren. Sie setzt sich vorwiegend aus ungesättigten Fettsäuren zusammen, die sich günstig auf den Cholesterinspiegel auswirken können.

Vom **Energie- oder Fettgehalt** insgesamt gibt es aber kaum Unterschiede. Beide haben pro 100 g zwischen 80,5 und 83 g Fett. Ein Esslöffel Butter, Margarine oder auch Pflanzenfett liefert rund 100 kcal.

Schlank ohne Diät

TIPP

Tierische Fette einschränken und hochwertige Pflanzenfette und Fische bevorzugen!

Cholesterin

Nicht nur die Nahrungsfette haben einen Einfluss auf den Cholesterinspiegel, sondern auch das mit der Nahrung aufgenommene **Cholesterin.**

Cholesterin gehört zu den fettähnlichen Substanzen und ist in unterschiedlicher Menge in tierischen Lebensmitteln enthalten. Im menschlichen Körper dient das Cholesterin als Ausgangsmaterial für eine Reihe wichtiger Substanzen (z. B. Geschlechtshormone, Nebennierenrindenhormone, Vitamin D, Gallensäuren).

Genießen Sie nur kleine Portionen!

Cholesterin ist nur in tierischen Produkten enthalten, also hauptsächlich in Fleisch, Wurst, fettreichen Milchprodukten. Bei völlig cholesterinfreier Ernährung (= strenge Vegetarier) kann das vom Körper benötigte Cholesterin selbst produziert werden.

Lebensmittel, pro 100 g	Cholesterin-gehalt in mg
Leberkäse	435
Ei	396
Butterschmalz	340
Butter	240
Mayonnaise	237
Schlagobers(-sahne)	119
Salami	94
Schweineschmalz	86
Emmentaler	86
Vollmilch	12
Quargel	2
Nüsse	0

Cholesteringehalt in Lebensmitteln

Nahrungscholesterin erhöht den Cholesterinspiegel, speziell das »böse« LDL-Cholesterin, während das »gute« HDL-Cholesterin kaum verändert wird. Täglich sollte man höchstens 300 mg Cholesterin mit der Nahrung aufnehmen.

Eine dem Cholesterin ähnliche Substanz in den Pflanzen wird als **Phytosterin** (siehe auch Seite 93) bezeichnet. Phytosterine senken im Gegensatz zum Cholesterin den Cholesterinspiegel.

Kohlenhydrate – die Kraft- und Energiespender

Kohlenhydrate sind wesentliche Bestandteile unserer Nahrung. Sie sind unentbehrlich für den Ablauf des normalen Stoffwechsels. Zu ihren speziellen Aufgaben zählt die Energiebereitstellung für die Nerven- und Gehirnzellen.

Kohlenhydrat ist nicht gleich Kohlenhydrat

Kohlenhydrate bestehen aus unterschiedlich vielen Bausteinen. Je nach Anzahl werden sie grundsätzlich in drei Gruppen eingeteilt:

- **Einfachzucker (Monosaccharide):** Zu ihnen zählen der Fruchtzucker (Fruktose), der Traubenzucker (Glukose) und der Schleimzucker (Galaktose).

- **Zweifachzucker (Disaccharide):** Dazu gehören die Saccharose (Rohr- oder Rübenzucker, auch immer als »Zucker« oder »Haushaltszucker« bezeichnet, mit der ganzen Angebotsbreite, wie Würfelzucker, Hagelzucker, Staubzucker, Kandis- oder Gelierzucker), der Malzzucker (Maltose) und der Milchzucker (Laktose). Auch der Honig mit seinen Zuckerbestandteilen Traubenzucker und Fruchtzucker ist ein Zweifachzucker.

schlank ohne Diät

Vielfachzucker (Polysaccharide): Dabei ist eine große Zahl von Einfachzuckern zu langen Ketten verknüpft. Man spricht auch von komplexen Kohlenhydraten. Das wichtigste Nahrungspolysaccharid ist die Stärke. Sie kommt in großen Mengen im Getreide, in Getreideprodukten, Hülsenfrüchten und bestimmten Obst- und Gemüsesorten wie Kartoffeln oder Bananen vor. Aber auch die unverdaulichen Kohlenhydrate wie der Ballaststoff Zellulose gehören zu den Vielfachzuckern. Alle Lebensmittel mit einem hohen Anteil an Vielfachzucker haben auch noch den Vorteil, dass sie besonders reich an Schutzstoffen (z. B. Vitaminen, Mineralstoffen und sonstigen Pflanzenschutzstoffen) sind. Zusätzlich werden sie auch langsamer vom Körper verwertet und sättigen besser.

Die verschiedenen Zuckerarten unterscheiden sich nicht nur in der Kettenlänge und -zusammensetzung, sondern auch durch ihre unterschiedlich schnelle Aufnahme ins Blut. Die Einfach- und Zweifachzucker können sehr rasch aufgenommen werden und liefern deshalb auch sofort Energie. Es kommt zu einer raschen Blutzuckersteigerung, die wiederum von einer starken Ausschüttung von Insulin gefolgt ist, da Insulin für die Verwertung des Blutzuckers notwendig ist. Starke Ausschüttungen von Insulin führen aber anschließend zu einem Abfall des Blutzuckers, unter Umständen auch unter die Normalwerte, was zu Hungergefühlen und Unwohlsein führen kann.

Vielfachzucker müssen für die Verwertung erst aufgespalten werden. Damit kommt es nur zu einem langsamen Blutzuckeranstieg und die momentane Insulinausschüttung wird nicht so stark angeregt.

Insulin ist auch noch verantwortlich, dass Zellwände für Glukose durchlässig werden, es fördert die Speicherung von Glykogen, aber es regt auch die Fettspeicherung an und hemmt den Abbau von Fett. Aus diesem Grund ist auch die Kombination von viel Zucker und Fett während einer Mahlzeit oder in einem Lebensmittel oder Speise so ungünstig (z. B. fettreiche Süßspeisen).

Schlank ohne Diät
TIPP

Nahrungsmittel mit zusammengesetzten Kohlenhydraten (= Vielfachzucker = Polysaccharide) sind besonders günstig. Sie sättigen besser, lassen den Blutzuckerspiegel langsamer ansteigen und haben auch immer einen sehr hohen Anteil an Schutzstoffen.

Lebensmittel pro 100 g	Kohlenhydrate, insgesamt	»Zucker« (Saccharose)
Haushaltszucker	99,8 g	99,8 g
Knäckebrot	72,6 g	1,30 g
Rosinen	66,2 g	1,10 g
Haferflocken	63,6 g	0,95 g
Schwarzbrot	44,6 g	0,58 g
Maroni	28,8 g	10,8 g
Banane	14,3 g	7,40 g
Mango	12,8 g	9,20 g
Erbsen	12,6 g	5,00 g
Apfel	11,4 g	2,50 g
Erdbeeren	5,5 g	0,99 g
Karotte	4,8 g	1,70 g

Kohlenhydratgehalt in Lebensmitteln

Die Qualität der Kohlenhydrate ist ausschlaggebend!

Nach der Aufnahme von kohlenhydratreichen Mahlzeiten kommt es meist innerhalb einer Stunde zu einem relativ raschen und steilen Anstieg des Blutzuckers. Die Höhe dieses Anstiegs, der durch ein bestimmtes Lebensmittel ausgelöst wird, wird als **Glykämischer Index** (GI) bezeichnet. Der GI eines Nahrungsmittels hängt von der Zusammensetzung der Stärke, von dem Nahrungsfaser-, Fett- und Eiweißgehalt sowie der Oberflächenstruktur und der Art der Zubereitung ab. Der glukosebedingte (Glukose = Traubenzucker) Blutzuckeranstieg wird mit 100 angesetzt. Das bedeutet, dass ein Lebensmittel mit einem glykämischen Index von 50 den Blutzuckerspiegel nur um die Hälfte im Vergleich zum Traubenzucker ansteigen lässt. Besonders hoch ist der glykämische Index bei Lebensmitteln, die sehr viel Einfach- und Zweifachzucker enthalten.

Lebensmittel mit hohem glykämischen Index (> 85)		Lebensmittel mit mittlerem glykämischen Index (60 – 84)		Lebensmittel mit niedrigem glykämischen Index (< 60)	
Bier	110	Wassermelone, Kürbis	75	Vollkornbrot	50
Glukose (Traubenzucker)	100	Zucker	75	Naturreis, Bulgur, Buchweizen	50
Bratkartoffeln	95	Weißbrot	70	Erbsen	50
Pommes frites	95	Schokoriegel	70	Vollkornreis, Basmatireis	50
Reismehl	95	Limonaden	70	Kiwi	50
Kartoffelpüree (Fertigprod.)	90	Kekse	70	Schokolade	49
Kartoffelchips	90	Polierter Reis	70	Weintrauben	45
Honig	85	Teigwaren	70	Vollkornteigwaren	40
Cornflakes	85	Croissant	67	Haferflocken	40
Popcorn	85	Rosinen	65	Orangen	40
Schnellkochreis	85	Mischbrot	65	Äpfel	39
Puffreis	85	Gekochte Kartoffeln	65	Feigen, getr. Marillen (Aprikosen)	35
Gekochte Karotten	85	Marmelade	65	Jogurt	35
		Banane	65	Birnen	34
				Rohe Karotten	30
				Linsen, Kichererbsen	30
				Fisolen (grüne Bohnen)	30
				Pfirsich	30
				Grapefruit	25
				Gerste, Korn	25
				Kirschen, Pflaume	22
				Schokolade (>70% Kakaoanteil)	22
				Fruchtzucker	20
				Frisches Gemüse, Sojaspr.	< 20
				Marillen (Aprikosen)	20
				Soja, Erdnüsse, Nüsse	15

Lebensmittel mit einem niedrigen glykämischen Index (< 60) sind besonders günstig, da damit auch ein starkes »Auf« und »Ab« des Insulinspiegels vermieden wird. Damit verhindert man Heißhungerattacken. Diese Beobachtung haben Sie sicher schon bei sich gemacht. Essen Sie zum Frühstück Weißbrot oder sogar eine Mehlspeise, haben Sie sehr schnell wieder Hunger. Wenn Sie aber zum Vollkornbrot greifen oder ein ungezuckertes Müsli essen, sind Sie länger satt. Außerdem wird damit verhindert, dass ein überschießender Insulinausstoß die Fettverbrennung vermindert.

Sind Kohlenhydrate Dickmacher?

Kohlenhydratreiche Lebensmittel galten in der Vergangenheit immer als klassische Dickmacher. Kartoffeln, Nudeln und Knödel wurden von den Tellern verbannt. Heute weiß man aber, dass Kohlenhydrate nicht dick machen, außer wenn sie durch die entsprechende Zubereitung (frittieren, panieren) zu richtigen Fettbomben werden. Kohlenhydrate enthalten pro Gramm auch weniger Kalorien als Fett. Nahrungsmittel mit zusammengesetzten Kohlenhydraten und vielen Ballaststoffen (Gemüse, Getreide) erzeugen auf Grund eines quellenden Effektes schneller ein Völlegefühl. Man wird schneller satt und läuft nicht Gefahr, zu viel zu essen.

Zu viel an Kohlenhydraten wird als Fett gespeichert!

Im Körper können Kohlenhydrate in Glykogen (= Vielfachzucker) umgewandelt und in der Leber und in den Muskelzellen gespeichert werden. Dieser Speicherplatz ist aber begrenzt.

Wenn er voll ist und auch sonst keine Energie gebraucht wird, können überschüssige Kohlenhydrate in Fett umgewandelt und so im Fettgewebe gespeichert werden. Bei dieser Umwandlung gehen aber bis zu 30 % der Energie »verloren«.

Außerdem können auf Grund unserer Enzymsysteme Kohlenhydrate erst ab einer Zufuhrmenge von über **500 g** pro Tag in Fett umgewandelt werden (bei normaler körperlicher Aktivität und das erst nach einigen Tagen).

500 g Kohlenhydrate sind aber eine ganz beträchtliche Menge! So müsste man über 2 kg gekochte Nudeln oder 1,3 kg Vollkornbrot oder auch 3,4 kg Kartoffeln essen. Es ist also fast unmöglich, dass man durch Kohlenhydrate allein dick wird. Problematisch wird es aber erst, wenn man zu den Kohlenhydraten auch Fett isst. Die Kohlenhydrate werden bevorzugt »verbrannt« und gespeichert, das aufgenommene Fett wird aber nicht gebraucht und sofort im Fettdepot gelagert. Die Fettverbrennung im Körper wird auch nicht durch die Fettaufnahme bestimmt, sondern durch die Verwertung der anderen Nährstoffe.

Warum nimmt man aber bei kohlenhydratfreien Diäten ab?

Es gibt eine ganze Reihe von kohlenhydratfreien Diäten. Zu ihnen zählen beispielsweise die Atkins-Diät, die Hollywood-Diät oder auch die Lutz-Diät. Diese Diäten bestehen hauptsächlich aus Eiweiß und Fett. Kohlenhydrate sind völlig verpönt. Damit greift der Körper nun auf die körpereigenen Kohlenhydratreserven (= Glykogen) zurück. Dieses Glykogen kann aber nur gemeinsam mit einer beträchtlichen Menge Wasser in den Depots gespeichert werden. Es bindet die 4fache Menge Wasser. Damit wird natürlich ganz schön abgenommen (wenn auch noch kein Körperfett) und das besonders in den ersten Tagen. Wahrscheinlich kommt es aber auch noch zu einer Stoffwechselsteigerung. Wegen der unkontrollierten Zufuhr von Fetten und den möglichen gesundheitlichen Beeinträchtigungen (Erhöhung des Cholesterinspiegels, erhöhtes Risiko für Herz-Kreislauf-Erkrankungen und Krebserkrankungen) wird aber von diesen Diäten abgeraten.

Bösewicht Zucker?

Unser Zucker (Haushaltszucker) zählt auch zu den Kohlenhydraten. Auf Grund seiner einzelnen »Zuckerbestandteile« zählt er zu den Zweifachzuckern. Er wird sehr gerne als Bösewicht der Ernährung hingestellt und für die Entstehung vieler Krankheiten verantwortlich gemacht. Der Zucker an sich ist aber nur direkt bei der Entstehung von Karies beteiligt. Bei allen anderen ernährungsabhängigen

Krankheiten hat er entweder keinen oder nur einen indirekten Einfluss (z. B. Übergewicht). Auch die Bezeichnung »Vitamin- und Mineralstoffräuber« ist nicht ganz gerechtfertigt, da prinzipiell für alle Kohlenhydrate beim Abbau im Körper Vitamine (Vitamin B$_1$) verbraucht werden. »Weißer Haushaltszucker« hat nur den Nachteil, dass er selbst keine wichtigen Vitalstoffe liefert, während andere Kohlenhydratträger (z. B. Getreide) gleichzeitig gute Vitamin-B$_1$-Lieferanten sind.

Gute Laune durch Schokolade!

Jeder hat schon zumindest einmal erlebt, dass die Gier nach Schokolade unbändig wird und eine ganze Tafel mit hemmungsloser Leidenschaft gegessen wird. Grund dafür ist einerseits der Serotoninspiegel (Botenstoff) im Gehirn. Mit dem Griff zur Schokolade wird dafür gesorgt, dass dieser Botenstoff ansteigt und sich so unsere Stimmung bessert. Vereinfacht dargestellt kann man sagen, dass der Zucker in der Schokolade einen raschen Insulinstoß hervorruft, welcher den Einstrom von den Bausteinen des Botenstoffs (= Tryptophan, ein Eiweißbaustein) ins Gehirn erleichtert. Andererseits enthält Schokolade außerdem Phenylethylamin, eine Substanz, die wie die körpereigenen Muntermacher Dopamin und Adrenalin aufgebaut ist. Sie steigern die Pulsfrequenz, erhöhen den Blutdruck und Blutzuckerspiegel, machen also wach und bereiten uns auf Aktivität vor. Die schlechte Nachricht aber: Zur Stimmungsverbesserung braucht man aber nur eine halbe Rippe und etwa 10 Minuten Geduld.

55 % bis 60 % der täglichen Nahrungsenergie sollten in Form von Kohlenhydraten, vor allem durch zusammengesetzte, stärkehaltige (z. B. Gemüse, Obst, Vollkorn, Reis, Nudeln) konsumiert werden.

Schlank ohne Diät
TIPP

Essen Sie reichlich zusammengesetzte Kohlenhydrate in Form von Reis, Vollkornbrot, Kartoffeln, Nudeln, Gemüse, Obst, Salat und Getreidegerichten.

Süßstoffe und Zuckeraustauschstoffe

Zuckerfrei, aber nicht kalorienfrei!

Viele Lebensmittel enthalten statt Zucker so genannte Zuckeraustauschstoffe. Dazu zählen der Fruchtzucker (Fruktose), Sorbit, Mannit und Xylit. Diese Zuckeraustauschstoffe sind Kohlenhydrate oder verwandte Stoffe, die süß schmecken und nicht energiefrei sind. Ihr Energiegehalt liegt im Allgemeinen bei 4 kcal (17 kJ) pro Gramm. Ihren Haupteinsatz finden sie bei Diabetikerwaren, aber auch in der Süßwarenindustrie. Die meisten Zuckeraustauschstoffe wirken, in großen Mengen genossen, abführend.

Schlank ohne Diät
TIPP

Unterdrücken Sie das Verlangen nach Schokolade nicht oder verbieten Sie sich diesen Genuss nicht vollständig. Bekanntermaßen reizt das Verbotene. Es verstärkt sich nur das Verlangen und die Folge ist der Konsum mit schlechtem Gewissen. Gönnen Sie sich ruhig ab und zu ein kleines Stück, das sie aber genießen!

Schlank ohne Diät
TIPP

Achten Sie also darauf, dass zuckerfrei nicht immer weniger Kalorien heißt!

Süßen ohne Reue?

Künstliche Süßstoffe ermöglichen heute, dass Nahrungsmittel und Getränke süß schmecken, aber wenig Kalorien haben. Ihr Stellenwert in der Ernährung wird schon lange kontrovers diskutiert. Ursprünglich sagte man ihnen nach, dass sie Krebserkrankungen auslösen können.

Cyclamat wurde Ende der sechziger Jahre in Zusammenhang mit Blasenkrebs gebracht. Dies wurde durch Studien an Ratten, bei denen man aber die sichere Dosis um das 2.000fache überschritt, belegt. Um diese Menge zu konsumieren, müsste der Mensch jeden Tag bis zu 5.000 Süßstofftabletten essen. Langzeitstudien haben aber gezeigt, dass sowohl Cyclamat als auch Saccharin nicht krebserregend sind.

Neuerdings stand auch Aspartam im Verdacht Gehirntumor auszulösen. Der Grund könnte das Abbauprodukt Methanol sein, das zu Formaldehyd verstoffwechselt wird. Formaldehyd steht unter Krebsverdacht. Die Menge an Methanol ist aber sehr gering, sodass ausgeschlossen werden kann, dass durch diesen Konsum tatsächlich ein Gehirntumor entsteht. Methanol wird aber auch durch andere Lebensmittel (z. B. Tomatensaft) aufgenommen.

Heute weiß man, dass der Konsum von vernünftigen Dosen pro Tag keine Krebserkrankungen auslöst. Die Weltgesundheitsorganisation gibt als unbedenkliche Tagesdosen 5 mg/kg Körpergewicht Saccharin (E 954), 11 mg/kg Körpergewicht Cyclamat (E 952), 40 mg/kg Körpergewicht Aspartam (E 951), 15 mg/kg Körpergewicht Acesulfam-K (E 950) und 5 mg/kg Körpergewicht für Neohesperidin DC (E 959) an. Thaumatin (E 957), ein süßschmeckender Eiweißstoff einer west-afrikanischen Pflanze wird als völlig unbedenklich eingestuft, deshalb gibt es auch keine unbedenklichen Tagesdosen.

Hunger durch Süßstoffe?

Jetzt stehen sie immer öfter in Verdacht, dass durch ihren Konsum der Heißhunger oder Appetit auf Süßes gefördert wird. Grundlage dieser Aussagen

Schlank ohne Diät
TIPP

Testen Sie Ihr Verhalten. Bekommen Sie nach dem Konsum von Süßstoff immer wieder Hunger, dann verzichten Sie lieber darauf. Es gibt Personen, die dieses Gefühl vor allem nach dem Konsum von Süßstoff angereicherten Getränken haben oder wenn sie Tee oder Kaffee mit Süßstoff süßen und nichts dazu essen. Wird aber zu den Getränken etwas gegessen oder hat ein Lebensmittel auch noch andere Energie liefernde Nährstoffe (Eiweiß, andere Kohlenhydrate – z. B. Milchprodukte), dann ist dieser Effekt nicht zu beobachten.

sind Untersuchungen an Schweinen. Beim Menschen konnte eine vermehrte Nahrungsaufnahme nach Süßstoffkonsum noch nicht eindeutig belegt werden.

Dass bestimmte Süßstoffe tatsächlich den Appetit und den Verzehr steigern, weiß man aus der Schweine- und Kälbermast. Bei Ferkeln wird dem Futter Süßstoff beigemengt, um den leichten Geschmack der Muttermilch nachzuahmen. Würde dies nicht geschehen, würden sie bei der Umstellung vorübergehend weniger als üblich fressen und dadurch weniger zunehmen. Der Süßstoff wird hier also nicht als Verursacher von Hunger genutzt, sondern er soll den Geschmack des Futtermittels verbessern. Der gleiche Effekt könnte auch mit Zucker erreicht werden.

Das bedeutet für den Menschen, dass durch den Ersatz von Zucker in Lebensmitteln durch Süßstoffe der Appetit auf dieses Lebensmittel nicht automatisch verstärkt wird.

Diskutiert wird aber auch, ob Süßstoffe eine Ausschüttung von Insulin bewirken. Der Körper soll nach Aufnahme einer süßen Substanz, gleichgültig ob Süßstoff oder Zucker, automatisch Insulin ausschütten.

Dadurch sinkt dann der Blutzuckerspiegel und Hungergefühle entstehen und es kommt der Wunsch nach weiterem Essen. Diese Untersuchungen wurden aber bereits von denselben Forschern wieder widerlegt. Gibt man Testpersonen verschiedene Getränke (Wasser, Zuckerlösung oder auch mit Süßstoff versetztes Wasser), gibt es zu keiner Zeit einen nachweislichen Einfluss auf die Ausschüttung von Insulin und auf die Normalbereiche des Blutzuckerspiegels.

Es kommt also zu keiner »Unterzuckerung« durch Süßstoffe, auch nicht, wenn im Extremfall sogar der Zuckergehalt der Nahrung vollständig durch Süßstoff ersetzt wird.

Helfen Süßstoffe beim Abnehmen?

Vernünftig und zielbewusst eingesetzt, können sie den Energiegehalt der Nahrung reduzieren helfen. Wenn man aber den Kaffee mit Schlagobers (-sahne) trinkt und statt Zucker Süßstoff verwendet, hält sich die Einsparung in Grenzen.

Hier wäre es auf alle Fälle besser auf das Schlagobers (-sahne) zu verzichten. Ein Teelöffel Zucker (5 g) hat ja ohnehin nur 20 kcal.

Tipp: Gewöhnen Sie sich langsam an weniger Süße in Ihrer Nahrung. Reduzieren Sie ganz langsam den Zucker- oder Süßstoffgehalt in den Getränken wie Tee oder Kaffee. »Verdünnen« Sie gezuckerte Nahrungsmittel (z. B. Fruchtjogurt) mit ungezuckertem (Naturjogurt). Süßen Sie beispielsweise Müsli nur mit Trockenfrüchten oder Bananen.

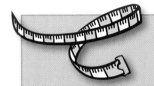

Sie werden nach einiger Zeit immer weniger Süßungsmittel brauchen, es werden Ihnen sogar üblich gesüßte Produkte zu süß sein. Genau wie bei Fett ist auch hier weniger mehr!

Kein Ballast durch Ballaststoffe!

Ballaststoffe sind Bestandteile von Zellwänden, die zur Energieverwertung im menschlichen Verdauungstrakt nicht oder kaum herangezogen werden.

Sie sind für den menschlichen Organismus in mehrerlei Hinsicht von besonderer Bedeutung:

▦ Sie regeln die Darmtätigkeit, indem sie im Darm wie ein Schwamm wirken. Sie saugen sich mit Wasser voll, quellen auf und sorgen so für ein ausreichendes Volumen des Darminhaltes bis in die unteren Darmabschnitte.

▦ Der dadurch ausgelöste mechanische Druck regt auf natürliche Weise die Darmbewegung an und wirkt so einer Verstopfung entgegen.

ACHTUNG

Wird zu wenig getrunken, können sich die Ballaststoffe nicht vollsaugen und aufquellen und als Folge besteht sogar die Gefahr einer noch ärgeren Verstopfung als sie vielleicht zuvor schon bestand.

Weitere wichtige Funktionen sind:

▦ Ballaststoffe helfen mit, Schadstoffe und mögliche krebserregende Stoffe schneller auszuscheiden.

▦ Sie verzögern die Magenentleerung, wodurch der Sättigungseffekt der Nahrung erhöht wird.

▦ Sie binden im Darm Gallensäuren, wodurch dem Körper auf natürliche Weise Cholesterin entzogen und zugleich der Cholesterinspiegel gesenkt wird.

Auf Grund ihrer Eigenschaften unterscheidet man zwischen **löslichen** und **unlöslichen** Ballaststoffen.

Die löslichen können Wasser binden und quellen dabei sehr stark auf. Sie helfen mit, Herzinfarkt und Arterienverkalkung vorzubeugen, weil sie den Cholesterinspiegel auf natürliche Weise senken. Cholesterin wird im Körper zu Gallensäure umgebaut, Ballaststoffe binden diese und helfen so mit, den Cholesterinspiegel zu senken. Dadurch schützen sie aber auch vor Gallensteinen, die entstehen können, wenn die Gallenflüssigkeit mit Cholesterin über-

sättigt ist. Diese löslichen Ballaststoffe verhindern auch starke Schwankungen des Blutzuckerspiegels, da sie für eine gleichmäßige und langsame Aufnahme in den Organismus sorgen. Lösliche Ballaststoffe findet man vor allem in Obst und Gemüse.

Die unlöslichen Ballaststoffe (die vorwiegend im Getreide enthalten sind) sind vor allem für eine normale Darmtätigkeit unentbehrlich. Als natürliche Füllstoffe sorgen diese Ballaststoffe für die regelmäßige Darmentleerung. Sie wirken so einer Verstopfung entgegen. Sie helfen aber auch mit, giftige oder krebserregende Stoffe schneller auszuscheiden und schützen so den Darm vor Krebserkrankungen. Aber auch andere Darmerkrankungen wie Hämorrhoiden oder Divertikulose können verhindert werden.

Ein Mangel verringert das Stuhlvolumen und erhöht die Transitzeit des Darminhaltes. Verstopfung, Hämorrhoiden, Krampfadern, Entzündungen und Krebserkrankungen des Darmes sind die Folge. Sekundär kann es auch zu Übergewicht, Zuckerkrankheit, erhöhter Cholesterinspiegel und Gefäßverkalkung kommen.

Lebensmittel pro 100 g	Ballaststoffgehalt gesamt in g	Lösliche Ballaststoffe in g	Unlösliche Ballaststoffe in g
Weizenkleie	45,4	2,3	43,1
Leinsamen, geschrotet	33,9	17,3	16,6
Bohnen, gekocht	12,2	6,1	6,1
Feige, getrocknet	9,2	2,9	6,3
Vollkornbrot	8,6	3,1	5,5
Haferflocken	5,4	1,6	3,8
Rosinen	5,4	1,2	4,2
Karotte	3,7	0,7	3,0
Karfiol (Blumenkohl), gekocht	2,7	1,1	1,6
Apfel	2,0	0,5	1,5
Erdbeeren	2,0	0,7	1,3
Grüner Salat	1,6	0,1	1,5

Ballaststoffgehalt in Lebensmitteln

Bevorzugen Sie Vollkornprodukte.

Richtiger Umgang mit Ballaststoffen

Wichtig ist bei den Ballaststoffen auch der richtige Umgang, da es bei unvermittelt hoher Ballaststoffzufuhr zu Blähungen oder Völlegefühl kommen kann. Das kann man aber weitgehend vermeiden, wenn man ballaststoffreiche Kost langsam aufbaut oder zum Beispiel ballaststoffreiche Brot- und Backwaren nicht ofenfrisch verzehrt, sondern mindestens einen Tag lagert.

Vollkorn bevorzugen!

Vollkorngetreide ist ein wesentlicher Ballaststofflieferant. Alle Vollkornprodukte sind aber nicht energieärmer, sondern haben mindestens so viel wie die ausgemahlenen Varianten. Der Vorteil liegt aber darin, dass sie durch den Ballaststoffgehalt besser sättigen, einen günstigern glykämischen Index haben und dass sie auch noch zusätzlich unzählige Schutzstoffe liefern.

Schlank ohne Diät
TIPP

Täglich sollte man mindestens 25 g Ballaststoffe, davon 50 % lösliche und 50 % unlösliche, essen. Steigern Sie langsam die Ballaststoffzufuhr und trinken Sie ausreichend.

TIPPS zum Kohlenhydrat-Verzehr

■ Essen Sie vorwiegend Obst, Gemüse und Getreide. Ändern Sie aber langsam Ihr Ernährungsverhalten, damit sich der Körper auch daran gewöhnen kann. Oft sind auftretende Probleme oder Beeinträchtigungen (z. B. Blähungen, Völlegefühl) nur umstellungsbedingt.

■ Wenn Sie auf ballaststoffreiche Kost umsteigen, trinken Sie ausreichend, damit die Ballaststoffe auch im Magen-Darm-Trakt quellen können, ansonsten könnten Sie eine Verstopfung bekommen. Wenn Sie Weizenkleie essen, dann trinken Sie pro Esslöffel mindestens 200 ml Flüssigkeit.

■ Kauen Sie ballaststoffreiche Lebensmittel besonders ausgiebig.

■ Achten Sie bei den Getränken (speziell bei Limonaden) auf den Zuckergehalt.

■ Meiden Sie Lebensmittel, die außer Zucker auch noch einen sehr hohen Fettgehalt haben (z. B. Mehlspeisen).

Mit viel Flüssigkeit einer Verstopfung vorbeugen!

Eiweiß

Eiweiß (Protein) dient dem Körper als Aufbausubstanz und lässt sich durch keinen anderen Nährstoff ersetzen.

8 von 20 **Eiweißbausteinen (Aminosäuren)** müssen mit der Nahrung zugeführt werden, da der Körper sie nicht selbst aufbauen kann. Ein Gramm Eiweiß liefert **17 kJ (4,1 kcal)**.

Eiweiß dient im Organismus in erster Linie als Gerüstsubstanz, findet sich aber auch in Körperflüssigkeiten, im Blut und Muskelfarbstoff. Ein Eiweißmangel führt zur Störung der körperlichen und geistigen Entwicklung, außerdem sinken die Leistungsfähigkeit und die Widerstandskraft gegen Infektionen.

Eiweißmangel lässt Muskeln schwinden!

Der Körper hat einen Minimalbedarf an Eiweiß. Wird kein Eiweiß mit der Nahrung zugeführt, (z. B. bei eiweißfreien Diäten, Saftkuren, Fasten) muss kontinuierlich vorwiegend aus der Muskulatur Eiweiß mobilisiert werden. Dies lässt nicht nur Muskeln schwinden, sondern führt auch langfristig zu Komplikationen.

Magere Milchprodukte sind besonders wertvolle Eiweißquellen und enthalten auch reichlich Kalzium.

Lebensmittel pro 100 g	Eiweißgehalt in g
Emmentaler	30 g
Sojabohne	28 g
Hühnerfleisch, Brust	24 g
Putenfleisch, Brust	24 g
Linsen	23 g
Rindfleisch, Steak	22 g
Forelle	21 g
Erdnuss	20 g
Kalbfleisch, mager	20 g
Schweinefleisch, mittelfett	20 g
Hühnerei	13 g
Vollmilch	3 g

Eiweißgehalt in Lebensmitteln

Ein Muskelabbau soll aber auf alle Fälle verhindert werden, da damit ja auch wieder der Energiebedarf sinkt (siehe Grundumsatz). Man nimmt zwar auf der Waage sehr schön ab, da durch den großen Wassergehalt der Muskelmasse (ca. 80 %) auch dieses abgebaut wird, aber man nimmt natürlich kein Fett ab.

Aus diesem Grund sollte man auch während der Gewichtsreduktion mindestes **50 g hochwertiges Eiweiß** (z. B. Topfen (Quark), Eiweiß, mageres Fleisch) essen!

Eiweißreich sind sämtliche Milchprodukte, Fisch, Fleisch und das Ei. Aber auch pflanzliche Lebensmittel liefern Eiweiß, so zum Beispiel Getreideprodukte, Kartoffeln und Hülsenfrüchte (siehe Tabelle).

Es ist jedoch zu berücksichtigen, dass pflanzliches Eiweiß auf Grund seiner Zusammensetzung nicht so hochwertig ist, wie tierisches Eiweiß.

Tierisches Eiweiß ist dem körpereigenen Eiweiß ähnlicher und kann deshalb in größerem Ausmaß in Körpereiweiß umgebaut werden **(= biologische Wertigkeit)**.

Eine besonders hohe biologische Wertigkeit hat das Eiprotein. Dieses wird mit 100 angegeben. Durch die Kombination verschiedener Eiweißquellen erreicht man aber eine Ergänzung, die, wenn man tierische und pflanzliche Proteinquellen kombiniert, sogar über 100 sein kann.

Gute Kombinationen sind: Kartoffeln und Ei, Milch und Weizenmehl oder Kartoffeln, Bohnen und Mais oder Ei (siehe Tabelle).

Der Eiweißbedarf eines Erwachsenen an Protein mit hoher Qualität (Ei, Milch, Fleisch, Fisch) beträgt 0,6 g pro kg Körpergewicht (Sollgewicht) und Tag. Da aber individuelle Schwankungen auftreten können und die Verdaulichkeit nicht immer 100 % ist, ergibt sich eine empfohlene Eiweißzufuhr für den

Erwachsenen von durchschnittlich **0,8 g pro kg Körpergewicht (Sollgewicht = Normalgewicht: Körpergröße in cm minus 100) pro Tag.** Einen erhöhten Bedarf haben Schwerarbeiter sowie Kinder, Jugendliche, Schwangere und Stillende.

Empfehlung: 15 % der Nahrungsenergie sollten aus Eiweiß stammen, davon zwei Drittel aus pflanzlichen und ein Drittel aus tierischen Eiweißquellen. Die Mindestzufuhr beträgt 0,5 g pro kg Körpergewicht (Sollgewicht) pro Tag.

Nahrungsprotein	Biologische Wertigkeit
Ei	100
Kuhmilch	91
Kartoffeln	89
Soja	86
Rindfleisch	79
Schweinefleisch	76
Bohnen	75
Reis	74
Weizen	69
Hafer	60
Kombinationen:	
Ei und Kartoffeln	136
Milch und Weizenmehl	125
Ei und Milch	119
Milch und Kartoffeln	114
Ei und Mais	114
Bohnen und Mais	99

Biologische Wertigkeit verschiedener Nahrungsmittel und Kombinationen

Schlank ohne Diät

TIPP

Essen Sie regelmäßig magere Fleischwaren, Fisch und magere Milchprodukte um den Eiweißbedarf zu decken. Nur so verhindern Sie, dass Sie Muskelmasse abbauen. Eine Packung Magertopfen (-quark) mit Mineralwasser verrührt, ist eine hervorragende Eiweißquelle (32 g) und schmeckt entweder pikant gewürzt hervorragend zu gekochten Kartoffeln oder mit Früchten als Nachspeise.

Leistungssportler brauchen mehr Eiweiß.

Mehr Eiweiß für mehr Muskeln?

Schwerathleten, die im Vergleich zu Normalsportlern einen höheren Eiweißbedarf haben, werden zum Beispiel in Wettkampfzeiten 1,5 bis höchstens 2 g Eiweiß pro kg Körpergewicht empfohlen.

Zum Muskelaufbau muss man wissen, dass der Skelettmuskel aus 70 % Wasser, 5 % Lipiden und 22 % Eiweißen besteht. Ein Kilogramm Muskulatur beinhaltet somit ca. 220 g Eiweiß. Will man pro Woche 0,5 kg fettfreie Masse (= Muskelmasse) zunehmen, so bedeutet das bezüglich der Eiweißaufnahme, dass man zusätzlich **110 g Eiweiß pro Woche bzw. 15 – 16 g pro Tag benötigt.** Für den Trainingsaufwand (Belastung) rechnet man nochmals 20 g pro Tag dazu.

Beispiel:

Ein 70 kg schwerer, normalgewichtiger Mann hat eine Zufuhrempfehlung von Eiweiß von 56 g pro Tag (0,8 x 70). Will er 0,5 kg Muskel aufbauen, benötigt er zusätzlich 16 g. Für die zusätzliche Belastung des Trainings werden noch 20 g/Tag empfohlen. Daraus ergibt sich eine empfohlene Gesamteiweißzufuhr von 92 g pro Tag (56 + 16 + 20). Das entspricht 1,3 g Eiweiß/kg Körpergewicht.

Einen erhöhten Eiweißbedarf haben aber auch Ausdauersportler nach der Belastung, da der Körper aus energetischen Gründen auch Eiweiß verbrannt hat.

Ein Läufer, der im Training täglich 15 km läuft, verbraucht ca. 1.000 kcal zusätzlich. Davon sind etwa 10 % aus Proteinen freigesetzt worden, das entspricht rund 25 g, da 1 g Eiweiß 4 kcal liefert. Zusätzlich müssen Verluste von 10 g über Urin und Schweiß berücksichtigt werden.

Diese erforderlichen zusätzlichen Eiweißmengen lassen sich ohne weiteres durch relativ geringfügige Ergänzungen der üblichen Ernährung bewerkstelligen.

Hohe Eiweißaufnahmen durch spezielle Präparate beinhalten auch noch das Risiko, dass mehr Kalzium und Phosphor mit dem Harn ausgeschieden werden.

Damit kann es zu einer verminderten Knochendichte kommen und somit ein Risiko für eine Osteoporose (siehe Seite 89) darstellen.

Eine sehr eiweißreiche, kalziumarme Ernährung stört die **Kalziumbilanz** im Körper. Milchprodukte (enthalten Eiweiß und Kalzium) verhindern dies.

Der Mehrbedarf von 36 g Eiweiß bei einem durchschnittlichen Muskelaufbau von 0,5 kg/Woche oder von 35 g nach einem Energieverbrauch von 1.000 kcal bei einer Ausdauersportart kann bereits durch eine Portion Hühnerbrust (150 g) oder 100 g Bierkäse (15 % F. i. T.) gedeckt werden.

Ganz ohne Fleisch?

Fleisch ist ein ganz wesentlicher Eiweißlieferant, aber auch spezielle **Vitamine (B₁, B₁₂)** und **Mineralstoffe (Eisen, Zink)** sind darin zu finden.

Gleichzeitig haben aber auch alle tierischen Proteinquellen sehr hohe Mengen an **Fett, gesättigten Fettsäuren, Cholesterin und Purinen,** die die Entstehung verschiedener Erkrankungen (Herz-Kreislauf-Erkrankungen, Gicht, Krebs) begünstigen.

Fleischlos glücklich und gesund?

Wer auf Fleisch und Wurst verzichtet, sollte andere eiweißreiche Lebensmittel optimal kombinieren. Fisch, Milch, Milchprodukte und Eier sollten täglich auf dem Speiseplan stehen, denn sie enthalten neben Eiweiß unter anderem die unentbehrlichen Nährstoffe **Kalzium** und **Vitamin B₁₂.**

Ohne Fleisch ist es aber auch besonders schwierig eine ausreichende **Eisen**versorgung zu gewährleisten, da Eisen aus pflanzlichen Lebensmitteln vom Körper schlechter ausgenutzt werden kann. **Vitamin C** verbessert aber diese Ausnutzung.

Daher eisenreiche Lebensmittel, wie Getreide und Hülsenfrüchte, immer mit Obst und Gemüse kombinieren.

TIPPS
für eine vollwertige fleischlose Ernährung

- Kombinieren Sie Eier mit Kartoffeln, Getreide mit Milch oder Hülsenfrüchten.

- Verzehren Sie täglich 1/4 l bis 1/2 l magere Milch und Milchprodukte und 2 Scheiben Käse. So decken Sie Ihren Kalziumbedarf.

- Essen Sie öfter milchsäurevergorenes Gemüse (Sauerkraut). Dies ist die einzige pflanzliche Vitamin-B₁₂-Quelle.

- Kombinieren Sie Getreideprodukte und Hülsenfrüchte mit Obst und Gemüse. Das steigert die Verfügbarkeit von Eisen.

Schlank durch spezielle Aminosäuren?

Immer wieder werden einzelne Eiweißbausteine oder Aminosäurengemische als »Fettburner« angepriesen. Aminosäuren (= Eiweißbausteine) sind tatsächlich an vielen auch den Fettstoffwechsel betreffenden Stoffwechselreaktionen beteiligt. So sind beispielsweise Bausteine von Fett abbauenden Enzymen oder Hormonen, die in den Fettstoffwechsel eingreifen können, aus Eiweißbausteinen aufgebaut. Aber auf Grund von körpereigenen Regulationssystemen werden durch eine vermehrte Zufuhr dieser Baustoffe nicht mehr Hormone oder Enzyme gebildet. Üblicherweise sind in unserer Nahrung aber genügend Aminosäuren enthalten, sodass es keinen Sinn macht, diese noch zusätzlich zu ergänzen.

Fettkiller Carnitin

Carnitin wird vom Körper aus den Eiweißbausteinen Lysin und Methionin hergestellt und ist in Fleisch (vor allem Lamm- und Schafsfleisch) und in geringen Mengen auch in Obst und Gemüse enthal-

schlank ohne Diät

ten. Es ist dafür verantwortlich, dass der Körper aus Fettsäuren Energie gewinnen kann. Es hilft mit, dass langkettige Fettsäuren in die »Fettverbrennungsöfen« (= Mitochondrien) transportiert werden.

Auf Grund dieser Wirkung wird es als »Schlankheitsmittel« angepriesen. Es ist aber nicht bewiesen, dass zusätzliche Carnitingaben die Fettverbrennung ankurbeln oder sogar zum Fettabbau beitragen, da Carnitin beim Fettstoffwechsel nicht verbraucht wird und eigentlich auch vom Körper selbst gebildet werden kann.

Vitamine, Mineralstoffe und Spurenelemente

Vitamine sind lebensnotwendige Stoffe, die vom Körper nicht aufgebaut werden können, sondern mit der Nahrung zugeführt werden müssen. Sie werden nur in sehr kleinen Mengen benötigt.

Sie haben im Körper vielfältige Aufgaben zu erfüllen, unter anderem sind sie verantwortlich für Abwehrreaktionen, Verhütung von Krankheiten, sie sind Bestandteile von Hormonen und Enzymen und damit wieder unentbehrlich für den Ablauf aller Lebensvorgänge. Sie dienen dem Körper aber weder zur Energiegewinnung, noch werden sie als Bauelemente für Gewebe und Organe herangezogen.

Vitamine werden nach ihrer Löslichkeit in **fettlösliche** und **wasserlösliche** Vitamine eingeteilt.

Fettlöslich bedeutet, dass für die Aufnahme aus dem Magen-Darm-Trakt in den Organismus Fett vorhanden sein muss (aber bereits geringe Mengen Fett reichen aus!). Fettlöslich sind die Vitamine A, D, E und K, wasserlöslich hingegen die Vitamine der B-Gruppe und das Vitamin C.

Bei einer Vitaminunterversorgung **(Hypovitaminose)** zeigen sich unter anderem bereits deutliche Störungen im Wohlbefinden sowie eine herabgesetzte Leistungsfähigkeit und Widerstandsfähigkeit gegen Infektionskrankheiten. Meist sind die Symptome der leichten Unterversorgung sehr unspezifisch.

Fehlt ein Vitamin gänzlich, treten schwere Mangelerscheinungen, so genannte Avitaminosen, auf, die zum Tode führen können. Daneben kann es durch eine große Vitaminzufuhr **(Hypervitaminose)** auch zu Erkrankungen kommen. Bekannt sind Hypervitaminosen bei Vitamin A und D, die aber meist auf Grund von falschen Dosierungen von Vitaminpräparaten entstehen.

Mineralstoffe sind anorganische Nahrungsbestandteile, die auch nicht vom Körper produziert werden können. Sie dienen unter anderem als Baustoff für Knochen und Zähne, steuern Enzymreaktionen, regeln den Wasserhaushalt und beeinflussen die Nervenaktivität.

Je nach Vorkommen und Bedarf unterscheidet man Mengen- und Spurenelemente.

Zu den Mengenelementen zählen alle Mineralstoffe, deren Gesamtanteil im Körper über 10 g liegt und die in größerer Menge (über 1 g pro Tag) benötigt werden. Zu ihnen zählen Kalzium, Natrium, Kalium, Phosphor, Magnesium und Chlor.

Spurenelemente sind im Körper nur in Spuren enthalten. Ihr täglicher Bedarf liegt unter 1 g. Zu den für den Körper unentbehrlichen Spurenelementen zählen Eisen, Jod, Fluor, Kupfer, Mangan, Selen, Kobalt, Chrom, Zink, Vanadium und Silizium. Die übrigen Spurenelemente sind entweder ohne physiologische Bedeutung und dadurch für den Körper entbehrlich wie Aluminium, Gold oder Bor oder sogar bereits in geringen Mengen für den Körper giftig wie Blei, Cadmium oder Arsen.

Übersicht Vitamine

Vitamin	Empfohlene Tageszufuhr*	Wirkung im Körper
Vitamin A **Retinol**	♀ 1 mg ♂ 0,8 mg	Epithelschutzvitamin, beteiligt am Sehprozess, schützt vor Zellschäden, stärkt die Abwehrkräfte
Carotin	2 mg	Vorstufe von Vitamin A (Provitamin)
Vitamin D **Calciferol**	♀ 5 µg ♂ 5 µg	Fördert die Kalzium- und Phosphoraufnahme aus dem Darm, für Knochenaufbau und Zähne
Vitamin E **Tocopherole**	♀ 15 mg*** ♂ 12 mg***	Antioxidant, schützt vor Krebserkrankungen
Vitamin K	♀ 75 µg*** ♂ 63 µg***	Blutgerinnung, Knochenaufbau
Vitamin B$_1$ **Thiamin**	♀ 1,2 mg ♂ 1,0 mg	Wichtig im Energie- und Kohlenhydratstoffwechsel und für die Nerven
Vitamin B$_2$ **Riboflavin**	♀ 1,4 mg ♂ 1,2 mg	Am gesamten Stoffwechsel beteiligt, Bestandteil von Enzymen, für gesunde Haut
Niacin	♀ 16 mg ♂ 13 mg	Bestandteil von Enzymen, wichtig für Haut und Nervensystem
Vitamin B$_6$ **Pyridoxin**	♀ 1,5 mg ♂ 1,2 mg	Wichtiges Co-Enzym, wichtig im Aminosäurestoffwechsel, bei der Bildung von Antikörpern und Gewebshormonen, beeinflusst Nervensystem und Immunabwehr

* durchschnittlich empfohlene Zufuhr für Erwachsene (19 – 65 Jahre)

Mangel	Vorkommen	Damit deckt man die empfohlene Tageszufuhr
Verhornung von Haut und Schleimhaut, verringerte Sehkraft, Nachtblindheit, Haarausfall, erhöhte Infektanfälligkeit	Lebertran, Leber, Karotten, Marillen (Aprikosen), Kaki, Eigelb, Käse	3 g Lebertran (1 TL) 5 g Schweineleber 155 g Camembert 138 g grüner Salat
Rachitis, Osteomalazie (Knochenerweichung)	Lebertran, Fisch, Eigelb, Milch und Milchprodukte, Pilze	22 g Hering 28 g Forelle 4 1/2 Stück Eidotter 161 g Steinpilze
Durchblutungsstörungen, Entwicklungsstörungen, Erschöpfung, Unlust, Infektanfälligkeit	Keimöle, Getreide, Nüsse	7,5 g Weizenkeimöl 27 g Sonnenblumenkerne 54 g geröstete Haselnüsse 203 g Schwarzwurzeln
Blutgerinnungsstörungen, erhöhte Blutungsneigung	Kohl, Spinat, grünes Gemüse, Eigelb, Weizenkeime	8 g Grünkohl 17 g gekochter Mangold 40 g Brokkoli 86 g Sauerkraut
Müdigkeit, allgemeine Schwäche, Nervenstörungen, Depressionen, Gedächtnis- und Konzentrationsschwäche, Appetitlosigkeit, Verdauungsstörungen	Vollkorngetreide, Weizenkeime, Hefe, Mohn, Sesam, Hülsenfrüchte, Schweinefleisch	60 g Weizenkeime 63 g Sonnenblumenkerne 171 g Pressschinken 203 g Haferflocken
Risse in den Mundwinkeln, Veränderungen an der Lippe, brüchige Fingernägel	Leber, Hefe, Milch- und Milchprodukte	48 g Rindsleber 54 g Hefeflocken 292 g Camembert 318 g Champignons
Hautveränderungen (trocken, rissig), Durchfall, Gewichtsverlust, psychische Veränderungen (Schlaflosigkeit, Müdigkeit, Schwindel)	Leber, Hefe, Fleisch, Vollkorngetreide, Fisch, Pilze	77 g Schweinsleber 99 g Hefe 123 g Tunfisch 133 g Rindfleisch
Haut- und Schleimhautschädigung, Reizbarkeit, Depressionen, Appetitlosigkeit, Durchfall, Erbrechen, Krämpfe	Leber, Fisch, Sonnenblumenkerne, Sesam, Pute, Getreide	146 g Sardine 156 g Kalbsleber 171 g Lachs 233 g Sonnenblumenkerne

*** Schätzwert für eine angemessene Zufuhr pro Tag für Erwachsene (19 bis 65 Jahre)

Vitamin	Empfohlene Tageszufuhr*	Wirkung im Körper
Folsäure	♀ 400 µg ♂ 400 µg	Notwendig für die Bildung neuer Zellen (Blutzellen)
Pantothensäure	♀ 6 mg*** ♂ 6 mg***	Am Stoffwechsel aller Ernährungsbausteine beteiligt, nötig für die Bildung von Gallensäuren, Cholesterin und Fettsäuren
Biotin	♀ 30 – 60 µg*** ♂ 30 – 60 µg***	Wirkt auf die Hautbildung (»Hautfaktor«), steuert den Abbau von Kohlenhydraten und Fettsäuren
Vitamin B₁₂ Cobalamin	♀ 3 µg ♂ 3 µg	Bestandteil von Enzymen, beteiligt an der Bildung der roten Blutkörperchen
Vitamin C Ascorbinsäure	♀ 100 mg ♂ 100 mg	Beteiligt am Zellaufbau und an der Abwehr, schützt vor Infektionen und Krebserkrankungen

* durchschnittlich empfohlene Zufuhr für Erwachsene (19 – 65 Jahre)

Mangel	Vorkommen	Damit deckt man die empfohlene Tageszufuhr
Störung des Blutbildes (Mangel an weißen Blutkörperchen), megaloblastische Anämie, Entzündung der Zunge und Lippenschleimhaut, Missbildungen in der Schwangerschaft (Neuralrohrdefekt)	Gemüse, Hefe, Eigelb	33 g Hefe 77 g Weizenkeime 121 g Weizenkleie 400 g Fenchel
	Leber, Hefe, Eigelb, Vollkorngetreide, Pilze	80 g Leber 286 g Champignons 333 g Mohn 500 g Weizen
Schuppige Hautveränderungen, Haarausfall	Leber, Hefe, Eigelb, Sprossen, Kleie, Haferflocken, Nüsse, Champignons	45 g Rindsleber 75 g Hefe 130 g Erdnüsse 225 g Haferflocken
Perniziöse Anämie, Gewebsschwund der Magenschleimhaut	Leber, Fleisch, Milchprodukte, Käse	5 g Leber 15 g Huhn 33 g Makrele 150 g Schafkäse
Müdigkeit, (»Frühjahrsmüdigkeit«), verminderte Leistungsfähigkeit, schlechte Wundheilung, Skorbut	Hagebutten, Sanddorn, schwarze Ribiseln (Johannisbeeren), Petersilie, Zitrusfrüchte, grüner Paprika	22 g Sanddornbeeren 53 g Ribiseln (Johannisbeeren) 72 g grüner Paprika 2 Stk. Kiwi

*** Schätzwert für eine angemessene Zufuhr pro Tag für Erwachsene (19 bis 65 Jahre)

Übersicht Mineralstoffe und Spurenelemente

Mineralstoff	Empfohlene Tages- Zufuhr*	Wirkung im Körper
Kalzium Ca	1.000 mg 1.000 mg	Baustein von Knochen und Zähnen, wichtig für die Erregbarkeit der Nerven und Muskeln und für die Blutgerinnung
Natrium Na	550 mg** 550 mg**	Regelt den osmotischen Druck und Wasserhaushalt, beeinflusst die Funktion der Zellmembran, Muskelreizbarkeit und -kontraktion
Kalium K	2.000 mg 2.000 mg	Regelt den osmotischen Druck. Verantwortlich für die Erregbarkeit der Muskeln und Nerven, Bestandteil von Enzymen
Phosphor P	700 mg 700 mg	Baustein von Knochen, Zähnen und Zellen. Wichtig für die Übertragung, Speicherung und Verwertung von Nahrungsenergie
Magnesium Mg	350 mg 303 mg	Aktiviert Enzyme des Energiestoffwechsels, für Nerven- und Muskelfunktion erforderlich, am Aufbau von Knochen und Sehnen beteiligt
Eisen Fe	10 mg 12 mg	Bestandteil des Hämoglobins, beteiligt am Sauerstofftransport im Blut, Bestandteil des Muskelfarbstoffes und bestimmter Enzyme
Jod J	200 µg 200 µg	Wird zum Aufbau der Schilddrüsenhormone verwendet
Fluor F	3,8 mg 3,1 mg	Härtet den Zahnschmelz, hemmt die Aktivität der Mundbakterien und wirkt damit der Kariesentstehung entgegen, erhöht die Knochenstabilität

* durchschnittlich empfohlene Zufuhr für Erwachsene (19 – 65 Jahre)
** Schätzwert für eine minimale tägliche Zufuhr für Erwachsene (19 – 65 Jahre)
*** Schätzwert für eine angemessene tägliche Zufuhr für Erwachsene (19 – 65 Jahre)

Mangel	Vorkommen	Damit deckt man die empfohlene Tageszufuhr
Entmineralisierung des Skelettes (Osteoporose, Rachitis), Krämpfe	Milch, Milchprodukte, Mohn, Feigen	68 g Mohn 83 g Parmesan 100 g Emmentaler 167 g Bierkäse
Schwäche, Absinken des Blutdruckes	Salz, Suppenwürze, Käse, Wurst, Brot	1 g Salz 46 g Parmesan 46 g Saunaschinken 50 g Ketchup
Müdigkeit, Muskelschwäche, Darmträgheit, Darmlähmung, Herzstörungen, Appetitlosigkeit, Schwäche, Blutdruckabfall bis zum Kollaps	Getreide, Obst und Gemüse	143 g Weizenflocken 182 g Feigen 423 g Bohnen 671 g Kartoffeln
Muskelschwäche, Knochenleiden	Weizenkleie, Mohn, Kürbiskerne, Käse, Wurst	54 g Weizenkleie 84 g Kürbiskerne 93 g Parmesan 100 g Pressschinken
Krämpfe und Muskelzucken, Gewichtsabnahme, Herzrhythmusstörungen	Kürbiskerne, Nüsse, Getreide, Mohn, Sesam	85 g Kürbiskerne 86 g Sonnenblumenkerne 126 g Cashewnüsse 245 g Getreideflocken
Anämie, verbunden mit Schwäche, Abfall körperlicher und geistiger Leistungsfähigkeit, Depigmentierung von Haut und Haaren	Leber, Sesam, Niere, Getreide, Kürbiskerne, Spinat, Pinienkerne	69 g Schweinsleber 88 g Kürbiskerne 115 g Mohn 122 g Hirse
Vergrößerung der Schilddrüse (Kropf), Jodmangel des Fötus durch Jodmangel der Mutter kann zu Tot- oder Fehlgeburt bzw. zu schweren Entwicklungsstörungen bei Kindern führen	Salz, jodiert, Fisch, Käse, grüner Salat, Rinds- und Kalbsherz	10 g jodiertes Salz 112 g Kabeljau 362 g Scholle 380 g Tunfisch
Karies, Destabilisierung der Knochen	Schwarztee, Früchtetee, Walnüsse, Hering, Käse	37 g Schwarztee, getrocknet 50 g Früchtetee, trocken 556 g geröstete Walnüsse 1.000 g Hering

Mineralstoff	Empfohlene Tages- Zufuhr*	Wirkung im Körper
Kupfer **Cu**	♂ 1 – 1,5 mg*** ♀ 1 – 1,5 mg***	Beteiligt an der Bildung des roten Blutfarbstoffes, am Bindegewebsstoffwechsel und am Eisentransport
Mangan **Mn**	♂ 2 – 5 mg*** ♀ 2 – 5 mg***	Wirkt bei der Knochenbildung, wichtiger Bestandteil von Enzymen
Zink **Zn**	♂ 10 mg ♀ 7 mg	Wichtiger Bestandteil von Enzymen und des Blutplasmas, wird für die Bildung der Speicherform des Insulins benötigt
Selen **Se**	♂ 30 – 70 µg*** ♀ 30 – 70 µg***	Schützt den Organismus vor Umweltschäden, hat eine krebsvorbeugende Wirkung, wirkt der Giftigkeit von Cadmium, Quecksilber und Silber entgegen

* durchschnittlich empfohlene Zufuhr für Erwachsene (19 – 65 Jahre)
** Schätzwert für eine minimale tägliche Zufuhr für Erwachsene (19 – 65 Jahre)
*** Schätzwert für eine angemessene tägliche Zufuhr für Erwachsene (19 – 65 Jahre)

Der Bedarf an vielen Vitaminen und Mineralstoffen hängt vom Geschlecht, von speziellen Stoffwechselgegebenheiten (Wachstum, Schwangerschaft), vom Alter, vom Alkoholkonsum, von der körperlichen Aktivität, aber auch vom Rauchverhalten, vom Stress und von zahlreichen Ernährungsfaktoren (z. B. Fettzufuhr, Kaffeekonsum, Zufuhr anderer Nährstoffe) ab.

So brauchen Raucher rund 40 % mehr Vitamin C als Nichtraucher. Gestresste benötigen eine »Extraportion« Magnesium und Sportler haben einen höheren Bedarf an den Zellschutzvitaminen (A, B, E, ß-Carotin), den B-Vitaminen und Mineralstoffen.

ACHTUNG

Während der Gewichtsreduktion bleibt der Bedarf an Vitaminen, Mineralstoffen und Spurenelementen gleich, lediglich der Energiebedarf sinkt. Aus diesem Grund sollten vor allem energiearme, aber nährstoffreiche Lebensmittel (= Obst, Gemüse, Getreide) am Speiseplan stehen.

Weniger Fett durch Magnesium oder Chrom?

Magnesium aktiviert eine ganze Reihe von Enzymen und ist somit für eine optimale Stoffwechselaktivität entscheidend. Eine Extraportion kann aber die Fettverbrennung nicht beschleunigen. Eine Extraportion macht also auch nicht schlank.

Mangel	Vorkommen	Damit deckt man die empfohlene Tageszufuhr
Sehr selten, verschlechtert die Eisenaufnahme und hemmt die Herstellung des Hämoglobins	Leber, Hefeflocken, Sonnenblumenkerne, Hagebutten, Weizenkleie	17 g Gänseleber 41 g Rindsleber 57 g Sonnenblumenkerne 96 g Milchschokolade
Fast nie	Weizenkeime, Mohn, Getreide, Vollkornbrot, Bananen, Marillen (Aprikosen), Nüsse	31 g Weizenkeime 57 g gemahlener Mohn 130 g Dille 152 g Vollkornbrot
Allgemeine Stoffwechselstörung, Appetitverlust, Verlust von Geschmacks- und Geruchsempfindung, gestörte Wundheilung, Haarverlust, Immunschwäche	Weizenkeime, Mohn, Sesam, Kürbiskerne, Leber, Getreide, Käse	71 g Weizenkeime 84 g Mohn 121 g Kürbiskerne 213 g Emmentaler
Beschleunigung des Alterungsprozesses, Myopathien, Nagelveränderungen, dünne und blasse Haare	Pistazien, Kalbsniere, Fisch, Steinpilze, Paranüsse, Sojabohnen	11 g Pistazien 19 g Kalbsniere 50 g Steinpilz 125 g Reis

Durch die Rolle des Chroms bei der Zuckerverwertung (es ermöglicht eine optimale Wirkung des Insulins) wird diesem Spurenelement auch eine besondere Bedeutung beim Abnehmen zugeschrieben. Durch Chrom wirken geringe Mengen Insulin effizienter, es werden keine hohen Insulinmengen benötigt, die den Fettabbau verringern. Gute Chromquellen sind Hefe, Kalbsleber, Weizenkeime, aber auch Fleisch und alle Vollkornprodukte enthalten Chrom. Üblicherweise nimmt man ausreichend Chrom mit der Nahrung auf. Zusätzliche Gaben haben noch keinen langfristigen positiven Effekt gebracht.

Risiko »oxidativer Stress«!

Die optimale Zufuhr an Nährstoffen ermöglicht in allen Lebenssituationen einen optimalen Stoffwechselablauf des Körpers. Wenn im Körper durch

übermäßige Belastung (Rauchen, Stress, Sport) die oxidationsfördernden Prozesse die oxidationshemmenden (antioxidativen) Prozesse überwiegen,

also ein Ungleichgewicht besteht, spricht man vom oxidativen Stress. Sehr leicht passiert dies, wenn bei übermäßiger Belastung Defizite in der Versorgung mit Vitaminen und Mineralstoffen bestehen.

Schädliche Oxidationen werden im Körper durch **sauerstoffhaltige freie Radikale** und andere **reaktive Sauerstoffverbindungen** ausgelöst. Diese schädlichen Verbindungen können im Körper selbst entstehen oder auch von außen einwirken (durch Zigarettenrauch, Umweltschadstoffe, Strahlung, UV-Licht, Ozon, Pflanzenschutzmittel, Schwermetalle und Medikamente).

Freie Radikale können bei fehlender oder ungenügender Inaktivierung vielerorts Schäden anrichten. Sie können Proteine angreifen und so die Enzymaktivität im Körper vermindern, Zellen schädigen und so eine Gefahr für die Entstehung von Tumorerkrankungen darstellen. Greifen sie Fette an, kann es zu Membranschädigungen, zur Oxidation des LDL-Cholesterins (»schlechtes Cholesterin«) und somit zur Gefäßverkalkung kommen. Daneben können sie auch noch die Hautalterung beschleunigen und die Entstehung vieler anderer Krankheiten beeinflussen (z. B. rheumatische Erkrankungen).

▨ Der Mensch kann nicht nur physisch und psychisch, sondern auch oxidativ gestresst werden!

Durch **Antioxidantien** können aber die schädlichen Prozesse verhindert oder unterbrochen werden. Zu den klassischen Antioxidantien zählen **Vitamin C, E, ß-Carotin** und **Selen** als Bestandteil eines Enzyms, das auch besonders schützt. Über ihre individuelle Wirkung hinaus ergänzen sie sich auch noch. Zusätzlich sind noch **Kupfer, Mangan** und **Zink** an schützenden im Körper produzierten Enzymen beteiligt. Zusätzlich schützen sekundäre Pflanzeninhaltsstoffe wie Flavonoide und Polyphenole.

Nüsse liefern sehr viel Vitamin E und Selen.

»An apple a day keeps the doctor away«

Sonstige Schutzstoffe der Nahrung – bioaktive Substanzen

Neben den Hauptbestandteilen (Stärke, Eiweiß, Fett, Ballaststoffe) und den Vitaminen und Mineralstoffen sind noch so genannte **bioaktive Substanzen** in Pflanzen enthalten. Diese besonderen Schutzstoffe (= sekundäre Pflanzeninhaltsstoffe = »phytochemicals«) sind gesundheitsfördernde Substanzen in Lebensmitteln, die keinen Nährstoffcharakter im engeren Sinne haben, sondern unter anderem Geschmacks- und Duftstoffe, natürliche Farbstoffe und pflanzeneigene Enzyme sind.

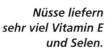

schlank ohne **Diät**

Bioaktive Substanzen im Überblick

Bioaktive Substanz	Wirkung	Vorkommen
Carotinoide	Schützen vor Krebserkrankungen. Verhindern schädliche Oxidation. Stärken das Abwehrsystem.	Gelb-oranges und grünblättriges Gemüse und Obst
Phytosterine	Schützen vor Krebserkrankungen. Senken den Cholesterinspiegel.	Fettreiche Pflanzenbestandteile; Sesam, Sonnenblumenkerne, unraffinierte Öle, Kürbiskerne
Saponine	Schützen vor Darmkrebs. Unterdrücken Bakterien, Viren und Pilze. Stärken das Abwehrsystem. Senken den Cholesterinspiegel.	Hülsenfrüchte
Glucosinolate	Schützen vor Krebserkrankungen. Unterdrücken Bakterien, Viren und Pilze. Senken den Cholesterinspiegel. Beugen Infektionen vor.	Kresse, Kohlrabi, Rotkraut, Brokkoli, Karfiol (Blumenkohl), Rettich, Senf
Polyphenole	Schützen vor Krebserkrankungen. Verhindern schädliche Oxidation. Stärken das Abwehrsystem. Unterdrücken Bakterien, Viren und Pilze. Beugen Blutgerinnsel vor. Hemmen Entzündungen. Regulieren den Blutdruck. Normalisieren den Blutzuckerspiegel.	Trauben, Brombeeren, Heidelbeeren, schwarze Johannisbeeren, Himbeeren, Walnüsse, grüner Tee, schwarzer Tee, Kaffee, Kopfsalat, Kartoffeln, Kohl, Äpfel, Melanzani, Sojabohnen, Leinsamen, Vollkorn, Weizenkleie
Protease-Inhibitoren	Schützen vor Krebserkrankungen. Verhindern schädliche Oxidation. Normalisieren den Blutzuckerspiegel.	Erbsen, Linsen, Bohnen, Rosmarin, Salbei
Terpene	Schützen vor Krebserkrankungen.	Orangen, Weintrauben, Marillen (Aprikosen), Zitrone
Phyto-östrogene	Schützen vor Krebserkrankungen. Verhindern schädliche Oxidation.	Granatapfel, Rotklee, Vollkorngetreide, Hülsenfrüchte, Kohl, Leinsamen, Leinöl, Weizenkeimöl, Sojaöl,
Sulfide	Schützen vor Krebserkrankungen. Verhindern schädliche Oxidation. Stärken das Abwehrsystem. Unterdrücken Bakterien, Viren und Pilze. Beugen Blutgerinnsel vor. Hemmen Entzündungen. Regulieren den Blutdruck. Fördern die Verdauung.	Zwiebeln, Schalotten, Lauch, Schnittlauch, Knoblauch
Phytinsäure	Schützen vor Krebserkrankungen. Verhindern schädliche Oxidation. Stärken das Abwehrsystem. Senken den Cholesterinspiegel. Normalisieren den Blutzuckerspiegel.	Hülsenfrüchte, Ölsaaten, Randschichten von Getreide

In der Natur existieren bis zu 100.000 solcher Pflanzeninhaltsstoffe, allerdings sind erst höchstens 5 % davon chemisch analysiert worden.

Man sollte nicht nur einen Apfel am Tag (wie ein altes Sprichwort empfiehlt), sondern auf Grund des hohen Gehaltes an bioaktiven Substanzen sogar 5-mal am Tag Obst und Gemüse essen.

Die Wirkungsweise der verschiedenen Inhaltsstoffe ist äußerst vielfältig. Es gibt Pflanzeninhaltsstoffe, die besonders vor Krebserkrankungen schützen, die den Blutzucker regulieren können, die den Cholesterinspiegel senken oder auch die Verdauung fördern, keimhemmend sind und insgesamt die Abwehr stärken können (siehe Tabelle, Seite 93).

Mit einer normalen Mischkost werden täglich etwa insgesamt 1,5 g bioaktive Substanzen aufgenommen. Bei einer vegetarischen Ernährung liegt die Zufuhr wesentlich höher.

Schlank ohne Diät
TIPP

Je »bunter« (bunt bezieht sich hier auf die pflanzlichen Produkte) Ihr Essen ist, desto mehr Schutzstoffe wird es enthalten. Essen Sie deshalb immer große Obst- und Gemüseportionen.

Flüssigkeitszufuhr

Etwa zwei Drittel des Körpers bestehen aus Wasser. Der Flüssigkeitsbedarf eines etwa 70 kg schweren Erwachsenen beträgt ungefähr **2 bis 2,5 Liter Wasser pro Tag.** Dieser erhöht sich bei entsprechender körperlicher Anstrengung und/oder hoher Außentemperatur. Bei sportlicher Betätigung, bei großer Hitze können pro Stunde bis zu 1,5 l Schweiß abgegeben werden. Die verlorene Flüssigkeit muss unbedingt ersetzt werden.

Ein erhöhter Bedarf besteht auch bei hohem Energieumsatz, Hitze, trockener, kalter Luft, reichlichem Kochsalzverzehr, hoher Proteinzufuhr und krankhaften Zuständen wie Fieber, Erbrechen oder auch Durchfall. Erst ab 0,5 % Flüssigkeitsverlust des Ausgangsgewichts treten Durstgefühle auf, bei 10 % kommt es bereits zu massiven gesundheitlichen Symptomen, die bis zu Verwirrtheitszuständen führen können (siehe Tabelle auf der nächsten Seite). Der Wasserbedarf muss natürlich nicht nur in Form von reinem Wasser täglich zugeführt werden, da Wasser auch in allen Lebensmitteln enthalten ist. Besonders geeignete Durstlöscher sind **Wasser, Mineralwasser, ungesüßter Tee** und **verdünnte Fruchtsäfte.**

Viel Trinken, aber das Richtige!

Ungeeignete Durstlöscher sind zucker- und/oder koffeinhaltige Getränke und Alkohol. Stark zuckerhaltige Getränke, Koffein (im Kaffee, schwarzen Tee, div. Energydrinks) und Alkohol steigern die Flüssigkeitsausscheidung mit dem Harn über die Niere. Da die Nieren Wasser nicht allein ausscheiden können, werden auch immer Mineralstoffe ausgeschieden, die aber durch diese Getränke nicht ersetzt werden. Es kommt zu einer Mineralstoffverarmung in den Zellen.

Flüssigkeitsverlust in % des Ausgangs- gewichtes	Symptome
Ab 0, 5 %	Auftreten des Durstgefühles
~ 2 %	Verminderte Ausdauerleistung
~ 4 %	Verringerung der sportlichen Kraftleistung
~ 5 %	Rückgang der Speichel- und Harnproduktion, erhöhter Puls, beschleunigte Herztätigkeit, Apathie, Erbrechen, Muskelkrämpfe
~ 10 %	Eintreten neuromuskulärer und vegetativer Störungen (psychische Labilität), Verwirrtheitszustände
~ 15 – 20 %	Keine Lebensfähigkeit

Schlank ohne Diät
TIPP

Beachten Sie aber: Zucker und Alkohol in Getränken liefern zusätzliche Energie.

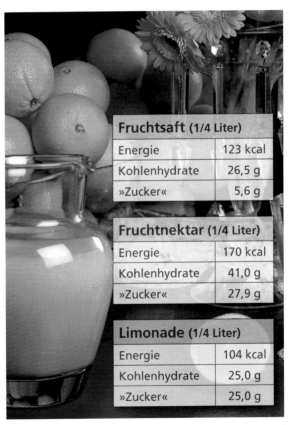

Fruchtsaft (1/4 Liter)	
Energie	123 kcal
Kohlenhydrate	26,5 g
»Zucker«	5,6 g

Fruchtnektar (1/4 Liter)	
Energie	170 kcal
Kohlenhydrate	41,0 g
»Zucker«	27,9 g

Limonade (1/4 Liter)	
Energie	104 kcal
Kohlenhydrate	25,0 g
»Zucker«	25,0 g

Getränk	Energiegehalt (kcal/Portion)
Bier, 1/2 l	194
Orangennektar, 1/4 l	157
Cola-Getränk	152
1 Seidel Bier	128
1/4 l Apfelsaft	123
1/4 l Orangensaft	112
1/4 l Wein	90
1/8 l Weinbrand, 2 cl	48
Kaffee ohne Milch und Zucker	0
Mineralwasser	0

Energiegehalt ausgewählter Getränke

Unterschied zwischen Fruchtsaft, Fruchtnektar und Limonade.

Nicht nur Wasser ersetzen!

Bei starker Anstrengung (Sport, Fieber, usw.) verliert der Körper über den Schweiß auch eine ganze Reihe von Mineralstoffen (Natrium, Chlorid, Kalzium, Kalium, Magnesium), die für die Aufrechterhaltung der Leistungsfähigkeit ersetzt werden müssen. Mineralstoffarme Getränke (Leitungswasser, Limonaden, Kaffee, Tee) enthalten sehr wenig Mineralstoffe. Sie führen zu einer weiteren Verdünnung der extrazellulären Flüssigkeit und fördern eine zusätzliche Mineralstoffverarmung der Zellen. Es kommt zur schnellen Flüssigkeitsausscheidung über die Nieren, wodurch wiederum Mineralstoffe verloren gehen. Der Durst wird immer stärker und es können Muskelkrämpfe auftreten.

Trinken während des Essens?

Trinken zum Essen war jahrelang verpönt, weil es, so die Annahme, zur Verdünnung der Verdauungssäfte käme. Heute weiß man aber, dass es sogar sinnvoll ist während des Essens zu trinken, aber keine zwingende Notwendigkeit dafür besteht. Die Vorteile sind, dass Speisen besser geschluckt werden können und dass Ballaststoffe, die mit der Nahrung aufgenommen werden (z. B. Vollkornbrot), quellen können. Außerdem wird durch die Magendehnung das Sättigungsgefühl wesentlich bestimmt, sodass eine mit (möglichst energiefreien) Getränken »verdünnte« Mahlzeit schneller zur Sättigung führt, da die Flüssigkeit zur Füllung des Magens beiträgt.

Es ist sinnvoll, während des Essens zu trinken.

Macht Alkohol dick?

Es ist bekannt, dass alkoholische Getränke zum Teil beträchtliche Energiemengen enthalten. Ein Glas Rotwein (1/8 l) enthält rund 90 kcal, eine Halbe Bier 200 kcal und ein Glas Sekt um die 70 kcal. Neuerste Untersuchungen haben aber auch ergeben, dass Alkohol zusätzlich den Fettabbau stark einschränkt. Darum spielt der Alkoholkonsum bei Gewichtsproblemen eine weit größere Rolle als bisher angenommen. Man kann davon ausgehen, dass bei moderatem Alkoholkonsum jedes Gramm Fett, welches mit der Nahrung aufgenommen wird, ungleich schwerer ins Gewicht fällt als sonst, da Alkohol vom Körper leichter verbrannt wird als Fett.

ACHTUNG

Während der Gewichtsreduktion sollten Sie besonders auf Ihre Flüssigkeitszufuhr achten, da mögliche im Fettgewebe gespeicherte Giftstoffe über die Niere ausgeschieden werden müssen.

Schlanktrinken durch Koffein?

Koffein, enthalten in Kaffee, Cola-Getränken oder Energydrinks, verstärkt im Körper den Fettabbau. Über die Aktivierung von Catecholaminen durch Koffein werden vermehrt Fettsäuren freigesetzt und deren Umsatz erhöht, gleichzeitig wird der Glykogenabbau gehemmt. Es erhöht auch den Grundumsatz, aber man muss schon sehr viele Tassen Kaffee trinken, um einen nachweisbaren Effekt zu erzielen. Der Koffeineffekt ist nämlich immer nur von kurzer Dauer, man braucht dementsprechend viele »Einzeldosen«. Dies ist aber aus gesundheitlicher Sicht nicht empfehlenswert. Vergessen sollte man auch nicht, dass gezuckerte koffeinhaltige Getränke (Kaffee, Tee, Energydrinks usw.) natürlich auch Energie liefern.

Allgemeine Tipps zur Ernährung

Die optimale Ernährung

Vernünftig und sinnvoll ist in erster Linie eine abwechslungsreiche Mischkost, da es kein einziges Lebensmittel gibt, in dem alle Nährstoffe entsprechend unseres täglichen Bedarfes enthalten sind. Dies trifft nur für die Muttermilch in den ersten Lebenswochen zu. Jede Einseitigkeit auf Dauer schadet und stellt eine Gefährdung für die Gesundheit dar. Kein Nahrungsmittel ist absolut verboten! Es gibt aber – sehr selten – schwerwiegende medizinische Gründe, die es ratsam erscheinen lassen, bestimmte Nahrungsmittel nicht zu essen (z. B. bei Nahrungsmittelallergien oder Stoffwechseldefekten).

Wichtig ist der richtige Umgang mit Nahrungsmitteln! Bei der Lebensmittelauswahl kann man sich leicht an der »Ernährungspyramide« orientieren.

Die Lebensmittelpyramide besteht aus **fünf Lebensmittelgruppen.** Getreide und Getreideprodukte bilden die Basis der Pyramide.

Diese Gruppe der Nahrungsmittel sollte auch das »Fundament« der täglichen Ernährung sein. Empfohlen werden täglich bis zu 6 – 11 Portionen Brot, Müsli, Reis oder Nudeln.

Anschließend folgen **Gemüse** (3 – 5 Portionen) und **Obst** (2 – 4 Portionen). Niedriger sollte der Anteil an **Milch und Milchprodukten** (2 – 3 Portionen), **Fleisch, Fisch, getrockneten Bohnen, Eiern** und **Nüssen** (2 – 3 Portionen) sein.

Die Spitze der Pyramide bilden Fette, Öle und Süßigkeiten. Sie sollten selten gegessen werden.

Lassen Sie sich nicht von den vielen Portionsgrößen abschrecken. Eine Portion ist eigentlich immer eine sehr kleine Menge (siehe Tabelle). Wenn Sie zum Frühstück 2 Scheiben Brot und zum Mittagessen 1 »normale« Portion Reis (250 g) essen, haben Sie bereits 4 Portionen Getreide konsumiert.

Die Obst- und Gemüseportionen sollten jeden Tag rund 400 g betragen.

Zucker
Fette, Öle
Milch, Milchprodukte, Hülsenfrüchte
Fisch, Fleisch, Eier
Obst und Gemüse – viel Buntes
Getreide, Getreideprodukte und Kartoffeln, Reis, Teigwaren
Trinken, trinken, trinken…

Lebensmittelgruppe	Eine Portion entspricht:	Hauptsächlich enthaltene Nährstoffe
Getreide	1 Scheibe Brot 30 g Getreideflocken 125 g Getreidebrei 125 g Nudeln 125 g Reis	Zusammengesetzte Kohlenhydrate, Ballaststoffe Pflanzliches Eiweiß B-Vitamine Mineralstoffe Spurenelemente
Obst	1 mittelgroße(r) Apfel, Banane, Orange, Pfirsich, Birne 125 g Erdbeeren, Himbeeren, usw. 125 g gekochtes Obst (z. B. Apfelmus) 1/8 l Fruchtsaft	Kohlenhydrate Ballaststoffe Vitamine Mineralstoffe Spurenelemente
Gemüse	250 g rohes Gemüse 1/8 l Gemüsesaft	Kohlenhydrate Ballaststoffe Vitamine Mineralstoffe Spurenelemente
Fleisch, Fisch, Hülsenfrüchte, Eier, Nüsse	50 – 75 g mageres Fleisch 50 – 75 g Geflügelfleisch ohne Haut 50 – 75 g Fisch 125 g gekochte Hülsenfrüchte 1 Ei 20 g Nüsse	Eiweiß Fett B-Vitamine Magnesium, Eisen, Jod, Zink
Milch und Milchprodukte	1/4 l Milch, Buttermilch, Sauermilch 1/4 l Jogurt, bevorzugt fettarm 50 g magerer Käse	Eiweiß Fett Kalzium Vitamin A Vitamin D
Flüssigkeit	1/4 l vorzugsweise Wasser, Mineralwasser, ungesüßter Tee	Wasser

Portionsgröße der Lebensmittelgruppe der Lebensmittelpyramide

Ernährungs-Check

Der Ernährungs-Check dient zur Überprüfung, ob Sie sich richtig ernähren.

Die Checkliste gilt für eine Woche. Haken Sie täglich ab, was Sie bereits gegessen haben, am Ende der Woche sollte kein Feld frei sein. Ein Kreis entspricht einer Portion.

Lebensmittel-gruppe	1. Tag	2. Tag	3. Tag	4. Tag	5. Tag	6. Tag	7. Tag
Getreide und Getreideprodukte	○ ○ ○ ○ ○	○ ○ ○ ○ ○	○ ○ ○ ○ ○	○ ○ ○ ○ ○	○ ○ ○ ○ ○	○ ○ ○ ○ ○	○ ○ ○ ○ ○
Gemüse, Obst	○ ○ ○ ○ ○	○ ○ ○ ○ ○	○ ○ ○ ○ ○	○ ○ ○ ○ ○	○ ○ ○ ○ ○	○ ○ ○ ○ ○	○ ○ ○ ○ ○
Milch, Milchprodukte, Hülsenfrüchte, Fisch, Fleisch	○ ○ ○ ○ ○	○ ○ ○ ○ ○	○ ○ ○ ○ ○	○ ○ ○ ○ ○	○ ○ ○ ○ ○	○ ○ ○ ○ ○	○ ○ ○ ○ ○
Flüssigkeit	○○○○ ○○○○	○○○○ ○○○○	○○○○ ○○○○	○○○○ ○○○○	○○○○ ○○○○	○○○○ ○○○○	○○○○ ○○○○

Getreide und Getreideprodukte: 5 Portionen täglich (vorzugsweise Vollkorngetreide);
1 Portion entspricht 30 g Brot, 30 g Getreideflocken, 125 g Getreidebrei, Nudeln, Reis.

Gemüse, Obst: 5 Portionen täglich (insgesamt 400 g);
Gemüse: 1 Portion entspricht 125 g rohem oder gekochtem Gemüse, 1/8 l Gemüsesaft;
Obst: 1 Portion entspricht 1 mittelgroßem Stück (Apfel, Orange), 125 g Erdbeeren, Himbeeren,
1/8 l Fruchtsaft.

Eiweißreiche Lebensmittel: 5 Portionen täglich
Milch und Milchprodukte (vorzugsweise fettarme): 1 Portion entspricht 50 g Käse, 1/4 l Milch oder Milchprodukten;
Hülsenfrüchte, Fisch, Fleisch: davon max. 2- bis 3-mal pro Woche Fleisch (mager) und Geflügel (ohne Haut)
und 2-mal pro Woche Fisch; 1 Portion entspricht 50 – 75 g Fleisch oder Fisch, 125 g gekochten Hülsenfrüchten.

Flüssigkeit: 8 Portionen (= 2 l) täglich, vorzugsweise Wasser, Mineralwasser, ungesüßte Tees; eine Portion
entspricht 1/4 Liter.

Gesünder

mit

Kneipp

Die Kneippbewegung

gibt es auf der ganzen Welt, die 3 größten Verbände befinden sich in Österreich, Deutschland und in der Schweiz. An die 1.000 lokale Kneipp-Vereine oder Aktiv-Clubs bieten ihren Mitgliedern das Kneipp-Gesundheitsprogramm an: In Kursen kann man die Kneipp-Wasseranwendungen erlernen. Zum Kneipp-Programm gehören auch eine gesunde Ernährung, die Verwendung von Heilkräutern, viel Bewegung und eine Lebensordnung, die die Basis für ein Bestehen in allen Lebenslagen bietet. Viele Kneipp-Aktiv-Clubs bieten »Schlank ohne Diät« in Selbsthilfegruppen an.

   50.000 Mitglieder gehören dem Österreichischen Kneippbund an,
   160.000 dem Deutschen Kneippbund e. V. und
   16.000 dem Schweizer Kneippverband.

Wir laden auch Sie ein, Mitglied der Kneippbewegung zu werden!

Fordern Sie kostenlos unsere Informationsbroschüren an.

Ihrer Gesundheit zuliebe!

Interessenten wenden sich an:

Österreichischer Kneippbund
Kunigundenweg 10 · A-8700 Leoben
Tel.: (0 38 42) 2 17 18 · FAX: DW 19
Internet: www.kneippbund.at
E-Mail: office@kneippbund.at

Kneipp-Bund e.V., Deutschland
D-86825 Bad Wörishofen
Adolf-Scholz-Allee 6 – 8
Tel.: (0 82 47) 30 02-0

Schweizer Kneippverband
Weissensteinstraße 35 · CH-3007 Bern
Tel.: (0 31) 3 72 45 43

Bleiben Sie gesund!

schlank
ohne Diät

Ohne

Bewegung

geht nichts

Bewegung steigert nicht nur den Energieverbrauch!

Bei der Entstehung von überschüssigen Kilos spielt der Bewegungsmangel eine große Rolle. In den letzten Jahrzehnten kam es kontinuierlich zu einer Abnahme der körperlichen Bewegung. Viele Wege werden mit dem Auto zurückgelegt und die meisten Berufe sind sitzend zu erledigen. So nahm der Energieverbrauch alleine von 1965 bis 1977 um ca. 200 kcal pro Tag ab! Wenn man diese Energiemenge nicht bei der Ernährung einspart, nimmt man 10 kg Körperfett pro Jahr zu!

Wenn man täglich auf den Fahrstuhl verzichtet und dafür immer die Treppen benutzt, kann man innerhalb eines Jahres bis zu 3 kg abnehmen.

Bewegung – der Schlüssel zum Erfolg

Je weniger man sich bewegt, desto geringer ist der Energieverbrauch. Zahlreiche Studien haben bereits gezeigt, dass die Kombination von Ernährungs-

Körperliche Bewegung ist das Um und Auf!

änderung und mehr Sport besonders hilfreich ist, wenn man abnehmen will. Man nimmt richtig ab (es wird Fett reduziert und Muskelmasse erhalten oder auch aufgebaut) und kann damit auch das abgenommene Gewicht halten.

Körperliche Aktivität steigert den Energieverbrauch und es kommt zu einer Zunahme der Muskelmasse, damit steigt wiederum der Grundumsatz. Langfristig kommt es aber auch zu vielen weiteren positiven Auswirkungen wie:

- zur Verbesserung des Fettstoffwechsels (Erhöhung des HDL-Spiegels, Absenkung des Triglyzeridspiegels),
- zur Abnahme des Blutdruckes,
- zur Abnahme der Herzfrequenz,
- zur verbesserten Herz-Kreislauf-Ausdauerfähigkeit,
- zur Senkung des Risikos für Herz-Kreislauf-Erkrankungen und für einige Krebserkrankungen und
- zur Verlangsamung des Alterungsprozesses.

Bewegung senkt überdies das Risiko für Typ-II-Diabetes, auch wenn eine familiäre Belastung vorliegt. Außerdem stärkt regelmäßige Bewegung auch das Immunsystem, Stress wird besser abgebaut und sogar das Langzeitgedächtnis wird verbessert. Außerdem fühlt man sich besser und isst dann auch wieder anders.

Mehr Energie verbrauchen!

Wenn man sich in Ruhe befindet, braucht man etwa rund 1 kcal pro kg Körpergewicht und Stunde. Dieser Wert kann bei intensiver Belastung auf 15 kcal pro kg Körpergewicht steigen. Bei extremen Ausdauerbelastungen z. B. bei der Tour de France oder bei Ultramarathonläufen liegt der Kalorienverbrauch zwischen 6.000 und 13.000 kcal pro Tag!

Der Mehrverbrauch ist aber auch abhängig vom Körpergewicht, da je mehr Masse bewegt werden muss, umso größer die Anstrengung ist. Hat jemand 70 kg, verbraucht er beim Laufen mit 8 km/h in

Wandern – steigert den Energieverbrauch und fördert das Wohlbefinden.

einer halben Stunde zusätzlich rund 240 kcal. Liegt das Körpergewicht bei 95 kg, steigt der Energieverbrauch für dieselbe Zeit auf 320 kcal. Wenn man abnimmt, sinkt mit jedem Kilo auch der zusätzliche Energieverbrauch. Das ist der einzige »Nachteil« des Abnehmens! Das muss man mitberücksichtigen, da darin oft der Grund zu sehen ist, warum man auf einmal nicht mehr abnimmt, obwohl man immer gleich isst und auch die Bewegung nicht reduziert.

Abnehmen durch Bewegung!

Lassen Sie sich nicht demotivieren, wenn Sie lesen, wie viele Kilometer Sie joggen oder auch Rad fahren müssten, um 1 kg Körperfett zu reduzieren. Jede zusätzliche Minute Bewegung zählt!

Wenn Sie täglich »nur« 100 kcal durch Bewegung verbrauchen (bei 100 kg Körpergewicht entspricht das 40 Minuten langsamem Gehen oder 47 Minuten langsamem Radfahren mit 8 km/h), ergibt das eine Gewichtsreduktion von ca. 400 g pro Monat, aber immerhin von ca. 5 kg innerhalb eines Jahres.

Bewegung fördert den Energieverbrauch in Ruhe!

Durch die Bewegung kommt es zur Vergrößerung der Muskelmasse. Damit steigt der Energiebedarf in Ruhe (= Grundumsatz) an.

Man verbraucht dann nicht nur bei der Bewegung selbst Energie, sondern auch in Ruhe! Üblicherweise sinkt mit der Dauer der Gewichtsreduktion der Grundumsatz. Zusätzliche Bewegung verhindert das.

Bei einem Versuch erhielten stark übergewichtige Personen für zwei Wochen nur 500 kcal zu essen. Nach diesen 14 Tagen hatte sich der Grundumsatz um immerhin durchschnittlich 13 % gesenkt.

In den folgenden zwei Wochen bekamen sie nicht mehr zu essen, sie absolvierten aber ein leichtes Ausdauertraining, bei dem sie pro Tag 150 bis 200 kcal verbrauchten.

Damit konnte die 13%ige Absenkung des Grundumsatzes wieder voll rückgängig gemacht werden.

Energieverbrauch durch Bewegung

Wie viel Energie Sie tatsächlich beim Sport verbrauchen, hängt von vielen Faktoren ab. Mit der Belastungsintensität steigt aber auf alle Fälle der Kalorienverbrauch pro Minute.

In der nachfolgenden Tabelle finden Sie **den zusätzlichen Energieverbrauch pro Minute in Abhängigkeit vom Körpergewicht.**

Die Angaben sind natürlich nur Durchschnittswerte, die noch zusätzlich beeinflusst werden können, beispielsweise beim Radfahren durch den Gegenwind, auf einer Bergstrecke oder auch durch die Art des Fahrrads.

Die Werte können auch noch nach der Intensität, dem Alter und dem Trainingszustand variieren.

Kalorienverbrauch

	55 kg	60 kg	65 kg	70 kg	75 kg	80 kg	85 kg	90 kg	95 kg	100 kg	110 kg	120 kg
Laufen												
8 km/h = 7 min 30 s/km	6,1	6,7	7,2	7,9	8,4	8,9	9,6	10,1	10,9	11,2	12,4	13,5
9 km/h = 6 min 30 s/km	6,8	7,5	8,1	8,9	9,5	10	10,8	11,3	12,2	12,6	13,9	15,2
10 km/h = 6 min/km	7,5	8,3	9	9,8	10,4	11,1	11,8	12,5	13,5	13,9	15,3	16,7
11 km/h = 5 min 50 s/km	9	9,9	10,7	11,7	12,5	13,2	14,2	14,9	16	16,6	18,3	20
12 km/h = 5 min/km	10,4	11,5	12,4	13,6	14,5	15,4	16,5	17,3	18,6	19,3	21,3	23,3
14 km/h = 4 min 20 s/km	11,7	13	14	15,3	16,3	17,3	18,5	19,5	20,9	21,7	23,9	26,1
Radfahren												
8 km/h = 7 min 30 s/km	1,1	1,2	1,3	1,5	1,6	1,7	1,8	1,9	2	2,1	2,3	2,5
16 km/h = 3 min 45 s/km	3,9	4,3	4,6	5,1	5,4	5,7	6,2	6,5	6,8	7,2	8	8,7
24 km/h = 2 min 30 s/km	7,5	8,3	8,8	9,8	10,4	11	11,8	12,4	13,2	13,8	15,2	16,6
32 km/h = 1 min 50 s/km	11,6	12,8	13,8	15	16	17	18,2	19,2	20,3	21,3	23,5	25,6
Golf	3,2	3,5	3,7	4,1	4,4	4,7	5	5,3	5,4	5,8	6,4	6,9
Gymnastik												
Gymnastik, leicht	2,9	3,3	3,5	3,9	4,1	4,4	4,7	5	5,2	5,5	6,1	6,6
Gymnastik, intensiv	10,4	11,5	12,4	13,6	14,5	15,4	16,5	17,4	18,4	19,3	21,3	23,2
Kegeln	2,3	2,3	2,6	2,7	2,9	3,1	3,5	3,5	3,6	3,8	4,1	4,4
Reiten												
Schritt	1,1	1,2	1,3	1,5	1,6	1,7	1,8	1,9	2	2,1	2,3	2,5
leichter Trab	2,1	2,3	2,4	2,7	2,9	3,1	3,3	3,4	3,6	3,8	4,1	4,5
Galopp	5,7	6,3	6,8	7,5	7,9	8,4	9	9,5	10,1	10,6	11,7	12,8
Putzen	2,1	2,3	2,4	2,7	2,9	3,1	3,3	3,4	3,6	3,8	4,1	4,5
Krafttraining	5	5,6	6	6,6	7	7,4	8	8,4	8,9	9,3	9,7	10,2
Billard	0,6	0,7	0,8	0,9	0,9	1	1,1	1,1	1,1	1,2	1,3	1,4
Wasserski	4,5	5	5,4	5,9	6,3	6,6	7,2	7,5	7,9	8,3	9,2	10
Segeln	2,1	2,3	2,4	2,7	2,9	3,1	3,3	3,4	3,6	3,8	4,1	4,5
Karate	9	9,9	10,7	11,7	12,5	13,2	14,2	14,9	16	16,6	18,3	20
Handball	6,6	7,3	7,9	8,7	9,3	9,8	10,5	11,1	11,7	12,3	13,6	14,8
Badminton												
Einzel	3,2	3,5	3,8	4,1	4,4	4,7	5	5,3	5,5	5,8	6,4	6,9
Doppel	2,1	2,3	2,4	2,7	2,9	3,1	3,3	3,4	3,6	3,8	4,1	4,5

	55 kg	60 kg	65 kg	70 kg	75 kg	80 kg	85 kg	90 kg	95 kg	100 kg	110 kg	120 kg
Bergsteigen	6,6	7,3	7,9	8,7	9,2	9,8	10,5	11	11,7	12,3	13,5	14,8
Fußball	6	6,6	7,1	7,8	8,3	8,8	9,4	9,9	10,5	11	12,1	13,2
Gehen												
1,5 km/h = 40 min/km	0,6	0,7	0,8	0,9	0,9	1	1,1	1,1	1,1	1,2	1,3	1,4
3,0 km/h = 20 min/km	1,3	1,5	1,6	1,8	1,9	2	2,2	2,3	2,4	2,5	2,8	3
4,0 km/h = 15 min/km	1,6	1,7	1,9	2,1	2,2	2,4	2,5	2,5	2,5	2,9	3,2	3,4
5,0 km/h = 12 min/km	2,1	2,3	2,4	2,7	2,9	3,1	3,3	3,4	3,6	3,8	4,1	4,5
5,5 km/h = 11 min/km	2,6	2,9	3	3,3	3,6	3,8	4	4,3	4,5	4,7	5,2	5,6
6,0 km/h = 10 min/km	2,8	3,2	3,4	3,8	4	4,3	4,9	4,9	5,1	5,4	6	6,5
6,5 km/h = 9 min/km	3,9	4,3	4,4	5,1	5,4	5,7	6,2	6,5	6,8	7,2	8	8,7
7,0 km/h = 8 min 30 s/km	4,5	5	5,4	5,9	6,3	6,6	7,2	7,5	7,9	8,3	9,2	10
Skaten, 15 km/h	3,9	4,3	4,6	5,1	5,4	5,7	6,2	6,5	6,8	7,2	8	8,7
Schwimmen												
20 m/min	2,6	2,9	3	3,4	3,7	3,9	4,1	4,4	4,6	4,8	5,3	5,7
30 m/min	4,5	5	5,3	5,9	6,3	6,6	7,2	7,5	7,9	8,3	9,2	10
Schi alpin	6,6	7,3	7,9	8,7	9,3	9,8	10,5	11,1	11,7	12,3	13,6	14,8
Schi-Langlauf												
4 km/h = 15 min/km	4,8	5,3	5,7	6,3	6,7	7,1	7,6	8	8,5	8,9	9,8	10,7
6 km/h = 10 min/km	6,6	7,3	7,9	8,7	9,3	9,8	10,5	11,1	11,7	12,3	12,6	12,8
8 km/h = 12 min/km	8	8,9	9,5	10,4	11,1	11,8	12,7	13,3	14,1	14,8	16,3	17,8
Squash	5,6	7,6	8,2	9	9,6	10,1	10,9	11,4	12,1	12,7	14	15,3
Tanzen												
Gesellschaftstanz	2,4	2,9	3	3,4	3,7	3,9	4,1	4,4	4,6	4,8	5,3	5,7
Disco	4,2	4,7	5	5,5	5,9	6,2	6,7	7,1	7,4	7,8	8,7	9,4
Tennis												
Einzel	4,8	5,3	5,7	6,3	6,7	7,1	7,6	8	8,5	8,9	9,8	10,7
Doppel	2,9	3,3	3,5	3,9	4,1	4,4	4,7	5	5,2	5,5	6,1	6,6
Tischtennis	2,8	3,1	3,3	3,7	3,9	4,2	4,5	4,8	4,9	5,2	5,8	6,3
Wandern, 5 km/h	4,2	4,7	5	5,5	5,9	6,2	6,7	7,1	7,4	7,8	8,7	9,4

Zusätzlicher Kalorienverbrauch in kcal pro Minute in Abhängigkeit vom Körpergewicht.

Sie können Ihren Energieverbrauch auch ganz einfach und grob über die Bewegungsgruppen ermitteln: Dabei multiplizieren Sie die Zeit (Minuten) mit dem angegebenen Wert pro Gruppe. Sie erhalten nun den Kalorienwert, den Sie zusätzlich verbraucht haben.

	Bewegung	Energie-verbrauch in kcal pro Minute
Gruppe 1	Gymnastik leicht, Radfahren 10 km/h, Spazierengehen 3 km/h	Minuten x 3
Gruppe 2	Wandern, Kegeln, Bowling	Minuten x 4
Gruppe 3	Gymnastik normal, Tischtennis, Tanzen, Gartenarbeit	Minuten x 5
Gruppe 4	Fuß-, Hand-, Volleyball, Tennis, Reiten, Radfahren 20 km/h, Treppen steigen (50 Stiegen/min)	Minuten x 7
Gruppe 5	Dauerlauf 9 km/h, Schwimmen 40 m/min, Schilanglauf, Alpinschilauf	Minuten x 10

Bewegungsgruppen mit den Multiplikationsfaktoren

Außerdem gibt es auch noch die Möglichkeit, mit speziellen Messuhren, die Ihre persönlichen Daten in Bezug auf die Herzfrequenz setzen, den Kalorienverbrauch zu ermitteln. Am Ende der Trainingseinheit braucht man den Verbrauch nur auf der Uhr oder auch am Display von diversen Sportgeräten (z. B. Hometrainer) ablesen.

Ausdauertraining

Ausdauertraining (= längere körperliche Belastung wie zügiges Gehen, Walking, Joggen, Schwimmen, Radfahren) verbraucht nicht nur Energie und hilft Ihnen Ihre negative Energiebilanz leichter zu erreichen, sondern es hat noch sehr viele weitere Vorteile.

So wird beispielsweise die Fettverbrennung angeregt, der Ruhepuls sinkt, die Herzarbeit wird ökonomisiert, das Immunsystem wird gestärkt und es führt zum Abbau von körpereigenen Stresshormonen.

Fett richtig mobilisieren

Durch den Energieverbrauch bei der Bewegung kommt es zur Mobilisierung von Fetten aus den Fettdepots.

Die Fette werden dann mit dem Blut zur Muskulatur transportiert und dort »verbrannt«. Je öfter und regelmäßiger trainiert wird, desto besser funktioniert die Fettverbrennung, da die Fettverbrennungsöfen (= Mitochondrien) und Enzyme, die für den Fettabbau notwendig sind, zunehmen.

Verbrauchen Sie die richtige Energie

Der Körper hat zur Energiebereitstellung einerseits das **Creatinphosphat** (CP), die **Glykogen-** und **Fettspeicher** zur Verfügung. Diese Speicher werden abgebaut und bei diesem Abbau entsteht ATP (Adenosintriphosphat), der eigentliche Brennstoff im Körper.

CP ist nur in sehr geringen Mengen verfügbar, es reicht für 10 bis 20 Sekunden und ist im Muskel enthalten. Damit kann man eine Strecke von 100 m absolvieren. Anschließend besorgen sich die Muskeln ihre Energie aus den eigenen Kohlenhydratspeichern (= Glykogen in der Leber und Muskulatur). Wird schnell Energie verbraucht, wird Glykogen anaerob (= ohne Sauerstoffbedarf) zu Milchsäure abgebaut. Bei diesem Abbau wird wiederum ATP freigesetzt. Diese ATP-Produktion läuft im Inneren der Muskelfasern ab und liefert schnell viel Energie, die allerdings nur für kurze Zeit (4 Minuten oder 1.500 m) reicht.

Nur wenn Glykogen mit Hilfe von Sauerstoff (= aerob) und auch Fette mit Sauerstoff verbrannt werden, können Leistungen mit längerer, aber dafür mittlerer oder geringer Intensität erreicht werden. Die Glykogenreserven können dann bis zu 100 Minuten oder für eine Strecke von 30 km reichen. Geringe Mengen Glykogen werden auch für die Fettverbrennung benötigt. Wird Energie hauptsächlich aus dem Fett gewonnen, entsteht pro Gramm in der gleichen Zeiteinheit nur die Hälfte an ATP als bei der aeroben Verbrennung von Kohlenhydraten. Man kann also mit einer aeroben Kohlenhydratverbrennung doppelt so schnell laufen.

Läuft man langsamer, verbrennt man aber mehr Fett und kann natürlich auch länger durchhalten. Je niedriger die Intensität ist, desto mehr der benötigten Energie wird aus Fettreserven bereitgestellt.

Wer über 1 1/2 Stunden in Bewegung ist (z. B. bei Radtouren), hat seine Glykogenreserven nahezu aufgebraucht. Nun kann der Körper seine Energie nur mehr aus den Fettreserven decken. Damit wird nun aber in der gleichen Zeit weniger ATP gebildet, man muss nun auf alle Fälle seine Belastungsintensität (= Fahrgeschwindigkeit) vermindern. Unsere großen Fettreserven ermöglichen ultralange Ausdauerleistungen, die natürlich nur mit niedriger Intensität ausgeführt werden können.

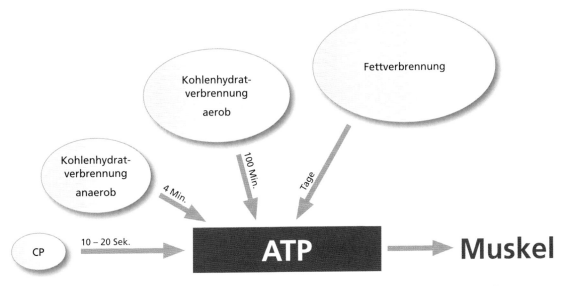

Energieentstehung aus den verschiedenen Substraten (Kohlenhydratverbrennung = Verbrennung von Glukose in Form von Glykogen, das im Körper gespeichert ist).

Die Energiebereitstellung aus den einzelnen Substraten läuft aber nicht nacheinander ab, sondern immer »nebeneinander«. Sie müssen also nicht Ihre ganzen Glykogenspeicher leeren, um überhaupt Fett verbrennen zu können.

Kontrollieren Sie beim Training Ihren Puls

Für ein optimales Training im richtigen Pulsbereich ist eine spezielle Leistungsdiagnostik im Rahmen eines Tests unter ärztlicher Kontrolle (z. B. Fahrradergometer) erforderlich. Hier wird für Sie ganz individuell ermittelt, mit welcher Intensität Sie trainieren sollten. Bei Trainingsanfängern ist auch ein medizinischer Gesundheitscheck zu empfehlen, da etwaige Gesundheitsprobleme entdeckt werden könnten.

Vor Trainingsbeginn ist eine ärztliche Untersuchung ratsam!

Sie können aber auch eine Pulsuhr verwenden oder den Puls selbst messen und sich nach einfachen Formeln richten. Damit erhalten Sie nur eine ganz grobe Richtlinie, die aber besser ist als nichts. Als maximale Herzfrequenz gilt: 220 – Lebensalter.

Gesundheitszone:
50 – 60 % der maximalen Herzfrequenz

Beispiel 40-jährige Person:

220 – 40 (Lebensalter) = 180;
50 % von 180 = 90, 60 % von 180 = 108.

Der Puls für eine 40-jährige Person liegt zwischen 90 und 108.

Fettverbrennungszone:
60 – 70 % der maximalen Herzfrequenz

Beispiel 40-jährige Person:

220 – 40 (Lebensalter) = 180;
60 % von 180 = 108, 70 % von 180 = 126.

Der Puls für eine 40-jährige Person liegt zwischen 108 und 126.

Aerobe Zone:
70 – 80 % der maximalen Herzfrequenz

Beispiel 40-jährige Person:

220 – 40 (Lebensalter) = 180;
70 % von 180 = 126, 80 % von 180 = 144.

Der Puls für eine 40-jährige Person liegt zwischen 126 und 144.

Anaerobe Zone:
80 – 90 % der maximalen Herzfrequenz

Beispiel 40-jährige Person:

220 – 40 (Lebensalter) = 180;
80 % von 180 = 144, 90 % von 180 = 162.

Der Puls für eine 40-jährige Person liegt zwischen 144 und 162.

Es gibt aber noch andere Formeln zur Berechnung der optimalen Trainingsfrequenz. Eine davon berücksichtigt auch noch Ihren Ruhepuls, der in der Früh vor dem Aufstehen oder nach 5-minütigem Liegen gemessen wird:

Trainingsherzfrequenz = (maximale Herzfrequenz (= 220 minus Lebensalter) – Ruheherzfrequenz) x 0,7 (bei Untrainierten: x 0,6) + Ruheherzfrequenz

Die richtige Fettverbrennung

Die Mobilisierung von Fett beginnt schon nach wenigen Minuten der Belastung und nicht wie immer behauptet erst nach 20 oder 30 Minuten. **Trotzdem gilt, je länger man trainiert, desto besser!** Am Anfang der Fettverbrennung wird Fett, das in der Muskulatur gespeichert ist, verbrannt.

Um die Fette aus den ungünstigen Fettpölsterchen zu mobilisieren, bedarf es verschiedener »Hilfsstoffe« wie Hormone. Es dauert natürlich, bis die Hormone aktiviert sind und die Fette von den Depots endlich in die Muskelzellen zur Verbrennung gelangen.

Wenn Sie also 40 Jahre alt sind, wäre es für die Fettverbrennung optimal, wenn Ihr Puls beim Trainieren zwischen 108 und 126 Schläge pro Minute läge. Tatsächlich ist es aber so, dass mit steigender Herzfrequenz auch der Energieverbrauch steigt. Sie verbrauchen dann mehr Kalorien, der Prozentanteil der Fettverbrennung sinkt. Dies gleicht sich aber wieder aus, da ja der Energieanteil steigt. Zum Beispiel: Verbraucht man 300 kcal und liegt die Fettverbrennung bei 55 %, werden 165 kcal durch Fettverbrennung gewonnen. Wird die Belastung erhöht und verbraucht man in der gleichen Zeit 450 kcal bei 40 %, so werden trotzdem 180 kcal durch die Verbrennung von Fett gewonnen. In Summe mobilisiert man 15 kcal mehr aus der Fettverbrennung und verbraucht noch zusätzlich um 150 kcal mehr.

ACHTUNG

Je besser Sie trainiert sind, desto eher schaltet Ihr Körper auf die Fettverbrennung um.

Je geringer die körperliche Belastung ist, desto mehr Energie wird aus dem Fett verbrannt. Steigt die Belastung, verbrennt der Körper mehr Kohlenhydrate (Glukose), damit der Körper schneller Energie gewinnen kann. Aus diesem Grund wurde in der Vergangenheit immer empfohlen, in der optimalen Fettverbrennungszone zu trainieren. Dazu gab es folgende Faustregel:

60 bis 70 % der maximalen Herzfrequenz (= 220 minus Ihr Alter).

ACHTUNG

Trotz des niedrigen Prozentsatzes der Energiebereitstellung bei hoher Belastungsintensität ist die Absolutmenge an verbrannten Fetten aber durch den höheren Gesamtkalorienumsatz bei intensiver Belastung mindestens genauso groß! Die ideale Fettverbrennungszone gibt es also nicht.

- Wenn Sie aus Zeitmangel nur kurze Zeit trainieren können, dann trainieren Sie umso intensiver, da Sie dann mehr Kalorien verbrauchen.

- Als Untrainierter können Sie am Anfang ruhig mit geringerer Intensität trainieren. Sie werden sehen, dieses Training ist nicht anstrengend, sondern macht richtig Spaß. Außerdem können sich auch durch eine moderate, langsam aber regelmäßig durchgeführte Bewegung Ihre Hormone und Enzyme bilden, die Sie brauchen, um Fett effektiv zu verbrennen. Lassen Sie sich nur nicht verunsichern, **jede zusätzliche Bewegung zählt.**

- Trinken Sie bereits vor dem Training und während der Belastung alle 20 Minuten. Eine Unterversorgung des Körpers mit Flüssigkeit bewirkt einen enormen Leistungsabfall und man fühlt sich schlecht. Bei Belastungen bis zu einer Stunde erfolgt der Flüssigkeitsersatz am besten durch Mineralwasser. Trainieren Sie aber länger, sollte Ihr Getränk auch Kohlenhydrate und bei extremen Ausdauerbelastungen auch Elektrolyte enthalten.

Daneben spielen aber auch noch weitere Faktoren wie Hormone, Ernährungszustand, aber auch die Umgebungstemperatur eine Rolle. Wenn die Belastung bei hoher Umgebungstemperatur durchgeführt wird, steigt die Nutzung der Kohlenhydrate an und umgekehrt kann Koffein die Fettverbrennung verbessern.

Wenn man sich bewegt, wird abhängig von der Dauer und der Intensität der Belastung auch nach Beendigung der Bewegung noch weiter Energie verbraucht.

Dieser metabolische Nachbelastungseffekt kommt zustande, da die Körpertemperatur noch erhöht ist und zirkulierende Hormone (Adrenalin) zelluläre Aktivitäten und metabolische Prozesse, speziell des Blutkreislaufes und der Atmung, anregen.

Es ist möglich, den Grundumsatz in der Erholungsphase zwischen 4 und 16 % über eine Zeit bis zu 5 Stunden zu erhöhen.

- Nutzen Sie die Nachbrennphase nach dem Sport aus. Sie verbrauchen auch einige Zeit nach der Bewegung noch Energie. Warten Sie mit dem Essen oder auch Trinken von energiehaltigen Getränken mindestens eine Stunde.

- Ein positiver Effekt durch Bewegung lässt sich bereits mit täglich 30 bis 60 Minuten zügigem Gehen erreichen.

Die Fettverbrennung hängt auch von der Ernährung vor und während der Belastung ab. Ist der Fettanteil in der Nahrung hoch, wird dieser verbrannt und nicht das Fett aus den Depots. Für die Gewichtsabnahme ist es günstig, 3 bis 5 Stunden nach einer Nahrungsaufnahme zu trainieren und während des Trainings keine Kalorien zu konsumieren, jedoch ausreichend zu trinken (Mineralwasser!).

Krafttraining

Beim Krafttraining kommt es zu einer Zunahme der Muskelmasse. Damit steigt zwar das Gewicht, aber diese Zunahme steigert den Energiebedarf. Wer seine Muskelmasse erhöht, erhöht auch gleichzeitig

Bauen Sie Ihre Muskeln immer unter professioneller Hilfe auf!

seine Fettverbrennung, sowohl unter Belastung als auch in Ruhe, da Fett vorwiegend in der Muskulatur verbrannt wird.

Der Kalorienverbrauch während eines Krafttrainings ist aber im Vergleich zur Ausdauerbelastung gering, da im Allgemeinen die effektive Belastungszeit nur rund ein Viertel der gesamten Trainingszeit darstellt. Durchschnittlich verbraucht ein Mann während einer Stunde Krafttraining nur etwa 200 kcal und eine Frau 150 kcal.

Gesundheitliche Risiken ergeben sich vor allem durch sehr hohe Blutdruckanstiege oder auch durch ungünstige Hebetechniken. Bauen Sie deshalb Ihre Muskulatur immer nur unter professioneller Anleitung auf! Beim richtigen Training erhalten Sie eine effektive Haltungsprophylaxe und Sie erhöhen auch die Knochendichte.

Für den Muskelaufbau benötigt der Körper vorwiegend Eiweiß. Schwerathleten, die im Vergleich zu Normalsportlern einen höheren Eiweißbedarf haben, werden zum Beispiel in Wettkampfzeiten 1,5 bis höchstens 2 g Eiweiß pro kg Körpergewicht empfohlen.

Möchte man pro Woche 0,5 kg Muskelmasse zunehmen, benötigt man **zusätzlich 15 – 16 g Eiweiß pro Tag.** Für den Trainingsaufwand (Belastung) rechnet man nochmals 20 g pro Tag dazu.

Ein 70 kg schwerer, normalgewichtiger Mann hat eine Zufuhrempfehlung von Eiweiß von 56 g pro Tag (0,8 x 70). Will er 0,5 kg Muskel aufbauen, benötigt er zusätzlich 16 g. Für die zusätzliche Belastung des Trainings werden noch 20 g/Tag empfohlen. Daraus ergibt sich eine empfohlene Gesamteiweißzufuhr von 92 g pro Tag (56 + 16 + 20). Das entspricht 1,3 g Eiweiß/kg Körpergewicht.

Die Eiweißzufuhr sollte über biologisch hochwertiges Eiweiß ohne große Fettmengen (z. B. Magertopfen(-quark), Eiweiß, mageres Fleisch, magerer Käse – siehe auch Kapitel Eiweiß) erfolgen. Wer aber unnötig zu viel Eiweiß zuführt, läuft Gefahr, dass das Eiweiß, das nicht zum Muskelaufbau benötigt wird, in Fett umgewandelt und in den Depots gespeichert wird.

Schlank ohne Diät
TIPP

Jedes zusätzliche Kilo Muskelmasse steigert den Energieverbrauch um 25 bis 50 kcal pro Tag!

Halten Sie sich regelmäßig in Bewegung

Da unsere Muskeln kein Gedächtnis haben, vergessen sie nach vier Tagen den Trainingsreiz wieder. Deshalb gilt:

> **Einmal pro Woche ist besser als nichts.**
>
> **Zweimal pro Woche ist gut.**
>
> **Dreimal pro Woche ist ideal.**

Gerade Anfänger neigen dazu zu übertreiben. Hoch motiviert wird jeden Tag trainiert, aber meist nicht sehr lange. Genauso wie man von heute auf morgen begonnen hat, hört man wieder auf. Vergessen Sie dieses »Alles oder Nichts«-Prinzip, sondern nehmen Sie sich vor, mindestens 2-mal oder noch besser 3-mal pro Woche zu trainieren. Es bleiben Ihnen somit mindestens 4 Tage pro Woche, an denen Sie »verhindert« sein können.

Trainingspausen sind aber notwendig um eine Leistungssteigerung zu erhalten. Der Körper braucht nach einer Belastung immer Zeit zur Regeneration. Ist die Regenerationszeit zu kurz, kommt es zu »Übertrainingssyndromen« und das Leistungsniveau sinkt sogar. Diese Erholungszeit für den Körper ist abhängig vom Alter, aber auch vom Trainingszustand. Der Untrainierte braucht doppelt so lang um sich zu erholen. So braucht ein Trainierter nach 1 bis 2 Stunden moderatem Ausdauertraining (Pulsbereich unter 70 % der maximalen Herzfrequenz) rund 12 Stunden um wieder »fit« zu sein, ein Untrainierter aber 24 Stunden.

Beim Krafttraining (z. B. bei Hantelübungen mit mindestens 10 Wiederholungen und geringeren Widerständen) beträgt die Regenerationsphase beim Trainierten 24 Stunden und beim Untrainierten 48 Stunden.

Grundsätzlich sollte jeder Neueinsteiger nur jeden zweiten Tag trainieren, am Anfang mit niedriger Intensität. Nach und nach kann man dann bei gleich bleibender Intensität den Umfang erhöhen und erst dann Schritt für Schritt die Intensität.

Gezieltes Abnehmen?

Heftig diskutiert wird immer die Frage, ob man gezielt an jenen Stellen Fett abbauen kann, wo sie besonders stören.

Dazu gibt es viele Versprechungen, die Ihnen helfen sollen, Ihre lästigen Fettpölsterchen gezielt zu eliminieren oder sogar in Muskeln umzuwandeln.

Wenn Sie »Beinübungen« machen, um lästige Fettpölsterchen an den Beinen zum Verschwinden zu bringen, haben Sie leider falsch gerechnet.

Fett wird nämlich zuerst dort abgebaut, wo es bevorzugt abgelagert wird und zwar im Bauchbereich.

Manche Fettdepots erweisen sich gegenüber Abnehmversuchen als wahrlich resistent. Dazu zählen vor allem die »Problemzonen« der Frauen, also die typischen Fettablagerungen im Bereich der Hüfte, des Gesäßes und der Oberschenkel.

Wenn Sie trainieren, führt dies zu einem vermehrten Fettabbau, es ist jedoch nicht möglich dem Körper vorzuschreiben, aus welchem Depot er sich das Fett herausgeholt hat.

Schlank ohne Diät

TIPP

Wählen Sie Sportarten, bei denen große Muskelgruppen aktiviert werden müssen, da hier auch der Kalorienverbrauch entsprechend steigt.

Besonders günstig ist Schilanglauf oder auch Walkung/Gehen, wenn durch in der Hand gehaltene Gewichte auch die Arme mitgeschwungen werden.

Nach dem Training signalisiert der Körper Lust auf »gesunde« Kost.

Sport bremst den Appetit!

Durch die körperliche Aktivität kommt es zu einem Anstieg der Körpertemperatur. Dies bewirkt eine Verminderung des Appetits. Dies ist sozusagen eine Art Schutzmechanismus, da durch die Verdauung von Nahrung wieder Wärme produziert werden würde. Außerdem kommt es zu einer Ausschüttung zahlreicher Hormone (z. B. Adrenalin), die selbst wieder Appetit mindernd wirken. Intensive Belastungen hemmen den Appetit aber nur kurzfristig. Macht man in der Früh Sport, ist der Appetit nicht den ganzen Tag gebremst.

Ganz wichtig ist es auch, dass sich durch regelmäßiges Ausdauertraining das Essverhalten ändert. Der Körper meldet, was er braucht und Sie bekommen Lust auf eine »gesunde« Kost. Nach dem richtigen Training verspürt man kaum Appetit auf Schweinsbraten, Schnitzel und Co., sondern auf Nudeln, Salat und Gemüse. Der Körper signalisiert ganz genau was er braucht. **Man nennt das somatische (= körperliche) Intelligenz.** Diese findet man bei Kleinkindern, aber nur mehr bei ganz wenigen Erwachsenen.

Ist nüchtern trainieren besser?

Es wird immer wieder empfohlen, dass nüchtern zu laufen, eine wahre Wunderwaffe gegen Fettpölsterchen sei. Ohne Frühstück soll der Fettstoffwechsel vermehrt angekurbelt werden, da sehr rasch ein Kohlenhydratmangel eintritt und der Körper nun gezwungen ist, Fett zur Energiebereitstellung zu mobilisieren. Bedenken Sie aber, dass Sie bevor Sie Sport machen, erst einmal Ihre über Nacht entstandenen Flüssigkeitsdefizite wieder ausgleichen müssen. Bewegen Sie sich auf keinen Fall im dehydrierten Zustand. Außerdem sinkt der Blutzuckerspiegel, der ja ohne Frühstück schon sehr niedrig ist, weiter ab.

Dies hat auch zur Folge, dass der Körper Körpereiweiß abbaut. Bluteiweißstoffe, Muskelmasse und Immunkörper werden regelrecht »angeknappert«, um daraus für das Hirn und das Nervensystem Glukose herzustellen. Genau das sollte aber vermieden werden. Nüchtern zu trainieren wird zwar von Spitzenläufern praktiziert, ist aber allen Abnehmwilligen nicht uneingeschränkt zu empfehlen. Außerdem besteht die Gefahr, einen Kreislaufkollaps zu erleiden.

Wenn sich trotz Bewegung der Zeiger der Waage nicht verändert

Wenn Sie weniger essen und mit Bewegung beginnen, kann es ohne weiteres passieren, dass Sie auf der Waage keinen Erfolg sehen. Dafür gibt es einige Gründe: Die Muskelmasse vergrößert sich und die vermehrten Muskeleiweißstoffe binden zusätzlich Wasser. Weiters kommt es zu einer Vermehrung von intramuskulären Substanzen und Strukturen, die der Sauerstoffverarbeitung (z. B. Mitochondrien = Verbrennungsöfen im Muskel; Enzyme, Myoglobin) dienen und Glykogen wird verstärkt eingelagert, das wiederum Wasser bindet. Zusätzlich wird das Bindegewebe gekräftigt und gestärkt und auch das Blutvolumen steigt an. Insgesamt kommt es somit zu einer Zunahme des Körpergewichtes. Aber parallel dazu beginnt der Abbau der Fettdepots. Es kommt zu einer vorteilhaften Veränderung der Körpermasse. Dies können Sie mit einer Körperfett-

messung sehr leicht überprüfen. Obwohl die Waage das gleiche Gewicht anzeigt, hat sich der Körperfettgehalt in kg oder in % bereits reduziert.

> **In der Anfangsphase des Trainings bleibt das Gewicht gleich, obwohl bereits Körperfett abgebaut wird.**

Mit Bewegung langfristig das Gewicht halten!

Wer beim Abnehmen zusätzlich Sport betreibt und diesen auch nachher weitermacht, wird sein reduziertes Gewicht viel leichter halten.

Zahlreiche Studien belegen, dass trainierte Personen langfristig Erfolg haben.

Schlank ohne Diät
TIPPS
für die Bewegung

- Je mehr Sie sich bewegen, desto mehr Energie verbrauchen Sie.

- Erhöhen Sie Ihre Bewegungsaktivität im Alltag. Benutzen Sie die Treppe, das Fahrrad für Einkäufe.

- Steigen Sie ein bis zwei Stationen früher aus dem Bus oder der Straßenbahn aus und gehen Sie das letzte Stück zu Fuß.

- Parken Sie Ihr Auto bewusst nicht vor der Haustüre.

- Vergessen Sie nicht aufs Aufwärmen und Dehnen vor und nach der Bewegung.

- Suchen Sie sich eine Sportart, die Ihnen Spaß macht. Sie sollten sich niemals zwingen oder überanstrengen, denn Bewegung soll auch Freude machen.

- Planen Sie die Bewegung fix in Ihrem Terminkalender ein. Es ist ein wichtiger Termin wie jeder andere. Trainieren Sie regelmäßig.

- Suchen Sie sich »Trainingspartner«, aber machen Sie Ihr Training nicht ausschließlich von anderen abhängig. Am Anfang ist es oft besser allein zu trainieren.

- Wählen Sie die richtige Ausrüstung!

- Fangen Sie langsam an! Sie sollten sich nach der Trainingseinheit so fühlen, dass Sie am liebsten weitermachen wollten.

- Trainieren Sie am Anfang immer unter professioneller Anleitung. So vermeiden Sie Verletzungen, Überbeanspruchungen, aber auch falsche Bewegungsabläufe. Eine sportmedizinische Untersuchung sollte die Grundlage für Ihr persönliches Trainingsprogramm sein.

- Trainieren Sie 2- bis 3-mal pro Woche und steigern Sie langsam Ihre Trainingszeit. Am Anfang gilt das Motto: Weniger ist mehr!

- Legen Sie sich die Latte nicht zu hoch. Trainieren Sie am Anfang lieber mäßig aber regelmäßig!

- Trainieren Sie nicht täglich, sondern gönnen Sie Ihrem Körper Regenerationszeiten. Nur so können Sie Ihre Leistung steigern.

- Erhöhen Sie niemals gleichzeitig Umfang und Intensität gleichzeitig.

- Lassen Sie sich nicht demotivieren, wenn Sie am Anfang auf der Waage keinen Erfolg sehen. Die Veränderungen durch Bewegung sind nach etwa einem Monat abgeschlossen, erst dann kommt es zu einer Reduktion des Körpergewichtes in Abhängigkeit zum Energiedefizit. Sie werden aber auch im ersten Monat schon Veränderungen feststellen, so sitzt die Kleidung schon viel lockerer und der Gürtel muss enger geschnallt werden.

Geeignete Sportarten
für das Abnehmen
aus orthopädischer Sicht*

Sportarten, die sich zum Abnehmen eignen, sind durchwegs Ausdauersportarten, deren Belastung für den Stütz- und Bewegungsapparat auf Grund der gleichmäßigen Bewegung geringer ist, als bei Sprint- und «stop and go«-Bewegungen, bei deren ungleichmäßiger Spitzenbelastung leichter Schäden auftreten können.

Langsames und ausdauerndes Laufen, Schwimmen, Radfahren und manche Trainingsmaschinen eignen sich wegen des größeren Energieverbrauchs und der weitaus größeren Schonung der Gelenke, Sehnen und Muskeln besser zum Abnehmen als beispielsweise Fußballspielen, Tennisspielen oder Schifahren.

Durch das Abnehmen soll es ja gelingen, Gelenkbeschwerden und auch Herz-Kreislauf-Beschwerden zu reduzieren.

Langsames, ausdauerndes Laufen – größerer Energieverbrauch.

Allerdings besteht eine gewisse Gefahr, durch die Bewegung, die zum Abnehmen führen soll, gerade das Herz-Kreislauf-System und den Stütz- und Bewegungsapparat zu schädigen. Daher ist es nicht möglich, jedem Abnehmwilligen kritiklos zu raten, täglich mindestens 40 Minuten zu laufen.

Unter allen Umständen muss vermieden werden, dass beim Abnehmen durch ungeeignete bzw. zu intensive Bewegung Schäden an Gelenken oder Weichteilen die Folge sind.

Vor jeder neuen Bewegungstherapie, deren Ziel das Abnehmen ist, sollte daher eine sportmedizinische bzw. orthopädische Untersuchung und Beratung erfolgen.

Patienten mit sehr schweren Erkrankungen des Herzens oder anderer innerer Organe wie zum Beispiel der Lunge, der Leber oder der Niere benötigen eine internistische Behandlung und Beratung und werden mit Sicherheit nur ein eingeschränktes Bewegungsprogramm absolvieren können.

Umgekehrt ist die Reduktion überzähliger Kilos gerade für Patienten nach einem Herzinfarkt eine unbedingte Notwendigkeit, sodass ein angepasstes Programm – beispielsweise am Ergometer – sowohl das Körpergewicht reduzieren, als auch die Kondition, den Muskelzustand und nicht zuletzt auch die Herzleistung verbessern wird.

Da gerade übergewichtige Menschen zur Gelenkabnützung, also zur Arthrose neigen, ist vor Beginn einer Bewegungstherapie auch ein orthopädischer Check up notwendig.

Das Laufen sowie diverse Trainingsmaschinen (z. B. Crosstrainer oder Rudermaschine) wird man nur jenen Menschen empfehlen können, die nicht allzu fortgeschrittene Arthrosezeichen in ihren Hüften, Knien und Füßen aufweisen.

Ebenso werden Patienten mit Beschwerden an der Wirbelsäule und in den Schultern nur bedingt an den oben erwähnten Bewegungstherapieformen teilnehmen können.

Übergewichtige Menschen, deren Übergewicht jenseits von zwanzig Prozent über dem Normalgewicht liegt, sollen zu Beginn ihrer Bewegungstherapie

Guter Beginn einer Bewegungstherapie:
Rad fahren.

nicht laufen, sondern besser Rad fahren und/oder schwimmen und erst dann zu laufen beginnen, wenn sie die Zwanzig-Prozent-Marke erreicht haben. Andernfalls droht eine massive Schädigung der Hüft-, Knie- und Fußgelenke!

Besonders differenziert muss man Patienten mit künstlichen Gelenken beraten: Während man nach künstlichem Hüftgelenkersatz (bei problemlosem Verlauf) jede Sportart durchführen kann, ist bei totalem Kniegelenk- und Sprunggelenkersatz vom Laufen abzuraten. Diese Patienten sollten eher schwimmen und Rad fahren und eventuell die Rudermaschine benützen.

Ein besonderes Augenmerk ist auf die Form und insbesondere die Funktion der Füße zu legen. Der Fuß ist beim Laufen sehr mannigfaltigen Aufgaben unterworfen: Beim Auftreffen des Körpers auf den Boden ist er ein Stoßdämpfer, der die gesamte kinetische Energie abfedern muss, in der Standphase bildet er eine stabile Säule und beschleunigt anschließend als starrer Abstoßhebel den Körper zum nächsten Schritt.

Wird auf Grund von Funktionsstörungen eine dieser Aufgaben nicht oder nur mangelhaft bewältigt, erleiden beim Laufen nicht nur der Fuß selbst, sondern auch höher liegende Körperabschnitte, wie die Kniegelenke, die Hüfte und die gesamte Wirbelsäule, eine übermäßige Belastung und früher oder später auch massive Schäden.

Einiges an Fehlfunktion des Fußes lässt sich durch so genannte funktionelle Stützeinlagen und gut angepasste orthopädische Sportschuhe ausgleichen. Eine diesbezügliche fachmännische Beratung ist vor Laufbeginn unerlässlich!

Patienten mit mittleren und höheren Arthrosegraden ihrer Hüft- und Kniegelenke können und sollen ein begrenztes therapeutisches Programm absolvieren:

Für mittlere Arthrosegrade empfiehlt sich das Fahrrad als ideale Bewegung, höhere Arthrosegrade werden wohl auf das Schwimmen zurückgreifen müssen, wobei auf Grund der hohen Belastung der Hals- und Brustwirbelsäule das Brustschwimmen abzulehnen ist. Ideale Schwimmarten sind das Kraulen bzw. das Rückenschwimmen!

Abschließend noch ein Wort zur Problematik Übergewicht und Behandlung bzw. Operation:

Viele Menschen befinden sich in einem Teufelskreis aus Übergewicht und Gelenkschmerzen eines oder mehrerer Gelenke. Von ärztlicher Seite wird ihnen dringend zum Abnehmen geraten und ihnen erst dann eine Behandlung bzw. eine Operation der schmerzhaften Gelenke in Aussicht gestellt und zwar mit dem Argument, dass eine Therapie bei massivem Übergewicht nicht helfe bzw. ein künstliches Gelenk (Totalendoprothese) nur eine sehr begrenzte Haltbarkeit habe. Diese leider sehr häufige Ansicht mancher Kollegen/-innen halte ich für gänzlich falsch.

Wie soll sich denn der Patient bewegen, wenn er gerade dabei Schmerzen hat? Diese Schmerzen müssen ihn ja demotivieren und ihn einer weiteren Gewichtszunahme geradezu in die Arme treiben.

Daher empfinde ich folgendes Vorgehen als sinn-voll: Wenn die konservative Behandlung mit Bandagen, Injektionen, Infiltrationen, Knorpelaufbau, orthopädisch physikalischen Maßnahmen usw. nicht zum Erfolg führt, sollte der Patient durch einen Gelenk erhaltenden oder Gelenk ersetzenden Eingriff schmerzfrei gemacht werden, um ihm die Bewegung überhaupt zu ermöglichen. Danach könnte dann die Abnahme seines Gewichtes mit einem sinnvollen Bewegungsprogramm unterstützt werden!

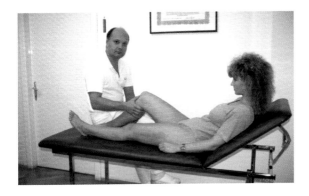

* Dieser Beitrag wurde von Herrn Primarius
  Dr. Michael Vitek, Facharzt für Orthopädie und
  orthopädische Chirurgie, zur Verfügung gestellt.

Übersicht der Bewegungs-therapiearten und Zuordnung der dafür geeigneten Personen

Laufen
Schi-Langlaufen, Eislaufen, Inlineskaten (Laufband, Stepper, Crosstrainer etc.)

Geeignet für gelenk- und muskelmäßig weitgehend gesunde Menschen, Übergewicht nicht mehr als zwanzig Prozent des Normal-gewichtes.

Radfahren
(Ergometer, Rudermaschine)

Geeignet für Patienten mit mäßiger oder sogar ausgeprägter Arthrose in ihren Hüft- und Knie-gelenken Stadium zwei bis drei.

Schwimmen

Geeignet für alle Menschen, auch Patienten mit schweren Gelenkabnützungen oder Muskelkontrakturen.

Schlank ohne Diät
für Kinder

»Eltern haften für ihre Kinder!«, das gilt in besonderem Maße für den Lebensstil der Kinder – Essverhalten und Freizeitaktivität.

Daher richtet sich ein Teil des Buches erklärend und beratend an die Eltern. Brennende Fragen – »Wie kann mein Kind aktiver werden?«, »Wie viel Bewegung braucht es täglich – wöchentlich?«, »Wie viel wiegt ein gesundes Kind?«, »Ist Übergewicht für mein Kind gefährlich?«, »Worauf ist bei der Ernährung zu achten?«, »Welche Rolle spielt die Vererbung?« – werden beantwortet.

Zwei Schwerpunkte sind für Kinder mit Gewichtsproblemen ausschlaggebend:

● Sie müssen zu einem günstigeren Essverhalten motiviert werden, ohne dass ein Mangel an Nährstoffen, Vitaminen und Mineralstoffen entsteht, die für Gesundheit und Wachstum notwendig sind. Das gelingt nach dem für 8- bis 14-jährige Kinder modifizierten Programm Schlank ohne Diät. Wochenpass und Gutpunkte, Kiloberg und Verhaltensregeln helfen dabei.

● Der zweite wichtige Aspekt heißt Bewegung. Kinder müssen wieder Freude am Sport bekommen, Erfolge durch verringertes Körpergewicht und bessere Kondition erleben.

Die Autoren:

Univ.-Prof. Dr. Rudolf Schoberberger,
Psychologe am Institut für Sozialmedizin der Universität Wien

Dr. Christa Schoberberger, Kinderpsychologin

Univ.-Doz. Mag. Dr. Ingrid Kiefer,
Ernährungswissenschafterin am Institut für Sozialmedizin der Universität Wien

Prim. Univ.-Doz. Dr. Karl Zwiauer, Facharzt für Kinderheilkunde

Univ.-Prof. Dr. Otto Fleiß, Sportwissenschafter

Univ.-Prof. Dr. Michael Kunze,
Vorstand des Institutes für Sozialmedizin der Universität Wien

Im Buchhandel erhältlich!

Buch »Schlank ohne Diät« für Kinder
inkl. Schlank-ohne-Diät-Wochenpass
€ 15,80 / sfr 27,30
160 Seiten, farbig illustriert, Hardcover
ISBN 3-900696-80-2

KNEIPP VERLAG
Leoben · Wien
natürlich gesund

Das Verhalten

bestimmt den Erfolg

Anlässen weniger zu Essbarem zu greifen, dafür aber gezielt die Entspannung einzusetzen. Durch Training einzelner Muskelgruppen lässt sich dieser entspannte Zustand erreichen.

Vor jedem Training ist eine Haltung einzunehmen, die der Entspannung entgegenkommt:

Sessel:
Droschkenkutscher-
haltung

Hilfe für den Alltag

Der Lebensstil, das Verhalten in vielen Lebenssituationen, wird entscheidenden Einfluss auf eine erfolgreiche Gewichtsreduktion haben. Einige Beispiele finden Sie in den folgenden Abschnitten.

Bearbeiten Sie jede Woche höchstens einen Schwerpunkt und vielleicht bauen Sie diese Anregungen, wie etwa die »Muskelentspannung« oder das »konstruktive Ablehnen«, den »Freizeitkalender« oder »Flow« allmählich in Ihre Alltagsroutine ein. Damit würden Sie sich sicherlich das Beibehalten einer einmal erzielten Gewichtsreduktion erleichtern.

Lehnstuhl:
Kopf rückwärts auflegen,
Arme ruhen auf Armlehnen

Entspannung

Muskelentspannung – Teil 1

Die Entspannung ist ein Mittel, um mit belastenden Situationen und Stress besser fertig zu werden. »Stressesser« können lernen, in Zukunft bei solchen

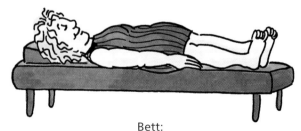

Bett:
Rückenlage bei leicht erhöhtem Kopf

Die Muskelentspannung (progressive Relaxation) basiert auf der Erfahrung, dass beim Erlernen schwieriger Zusammenhänge die Demonstration übertriebener Unterschiede zumindest anfänglich eine wirksame Hilfe sein kann.

Im Prinzip wird dabei der Spannungsgrad der Skelettmuskulatur als Hinweis für das Erleben von Entspannungsgefühlen verwendet.

Von starker muskulärer Anspannung soll es zu weitgehender Entspannung desselben Muskels kommen.

So werden nacheinander bestimmte Muskelgruppen zuerst angespannt und dann entspannt, wobei besonders auf die durch den unterschiedlichen Entspannungszustand erzeugten Gefühle geachtet wird.

Begonnen wird dabei häufig mit der Entspannung der Arme:

»Setzen Sie sich so bequem wie möglich …

Entspannen Sie sich, so gut es Ihnen möglich ist …

Jetzt, nachdem Sie sich entspannt haben, ballen Sie Ihre rechte Faust, ballen Sie sie fester und fühlen Sie die Spannung in Ihrer rechten Faust, in Ihrer Hand, in Ihrem Unterarm…

Und nun entspannen Sie…

Lassen Sie die Finger Ihrer rechten Hand locker werden und beobachten Sie den unterschiedlichen Eindruck …

Nun lassen Sie sich gehen und versuchen Sie, sich am ganzen Körper zu entspannen…«

Probieren Sie, die im Folgenden beschriebenen Übungen durchzuführen. Einmal täglich sollten Sie für etwa 10 bis 15 Minuten die verschiedenen Muskelgruppen trainieren – so lange, bis Sie die Entspannung ohne Anspannung erreichen und die Muskelentspannung bei Stress- oder Angstzuständen gezielt einsetzen können.

Unter anderem ist es ein Ziel der Entspannung, unangenehme Situationen besser bewältigen zu können und diese somit ohne zusätzliche Nahrungsaufnahme zu meistern.

Übung: »Hand – Unterarm«

Hand von der Unterlage abheben

Finger spielen

Finger zur Faust ballen – Faust immer fester werden lassen – nicht verkrampfen – so fest wie möglich – 10 Sekunden max. Anspannung

allmähliches Lösen der Faust

Hand auf der Unterlage

allmähliche Entspannung:

80 % – 70 % – 60 % – 40 % – 20 % – 0 %

wieder auf der Unterlage

auf 1, 2, 3 bis auf 0 % entspannen

Hand auf Unterlage oder frei baumeln lassen

Übung: »Hand – Oberarm«

1. Arm von der Unterlage abheben

2. abwinkeln, bis Unterarm gegen Oberarm

3. Faust immer stärker

4. Unter- gegen Oberarm immer stärker drücken, bis max. Anspannung, 10 Sek.

   allmähliche Entspannung:

   80 % – 70 % – 60 % – 40 % – 20 % – 0 %

5. Hand auf der Unterlage

   ruckartige Entspannung auf 1, 2, 3

6. Arm pendelt neben Oberschenkel

7. Übungen mit dem rechten Arm

8. Übungen mit dem linken Arm

9. und mit beiden Armen gleichzeitig

Zum Erlernen der Muskelentspannung führen Sie nun die angegebenen Übungen täglich mindestens einmal durch und beurteilen Sie jeweils nach den Übungen, wie gut Sie sich nach Ihrem Empfinden entspannen konnten.

Zutreffendes ankreuzen!

Datum	Entspannungserfolg		
	super	**halbwegs**	**gar nicht**
1. Tag:			
2. Tag:			
3. Tag:			
4. Tag:			
5. Tag:			
6. Tag:			
7. Tag:			

Muskelentspannung – Teil 2

Die bereits dargestellten Entspannungsübungen sollen wiederholt und mit neuen Übungen ergänzt werden (siehe Seite 124).

Versuchen Sie in der kommenden Woche die Entspannung nicht nur regelmäßig zu trainieren (mindestens einmal täglich), sondern versuchen Sie, sie auch ganz bewusst in verschiedenen Situationen einzusetzen (z. B. wenn Sie sich ärgern, wenn Sie nervös und angespannt sind, wenn Sie ein starkes Essverlangen beherrschen wollen usw.).

Führen Sie auch über die von Ihnen empfundene Wirksamkeit der Entspannung Buch. (Zutreffendes ankreuzen!)

Datum / Situation	Entspannungserfolg		
	super	halbwegs	gar nicht
z. B.: 23. Februar / Hektik am Arbeitsplatz			

Übung: »Schulter – Nacken«

Schulter hoch unter die
Ohren ziehen

Kopf so weit
wie möglich in
den Nacken

Kopf etwas nach rechts, bzw. links hinten rollen
– Spannung wird verlagert –
maximale Anspannung 100 % 10 Sekunden

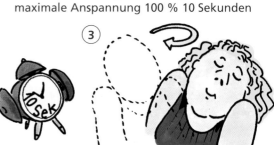

plötzliches Fallenlassen
der Schultern

Arme
pendeln

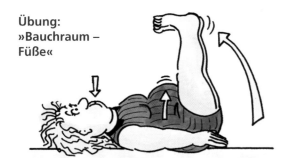

Kopf
nach vorne

Wiederholen: 2- bis 3-mal – wellenartige Entspannung für den ganzen Körper –
so häufig wiederholen, bis der ganze Körper entspannt ist.

Übung: »Bauchraum – Füße«

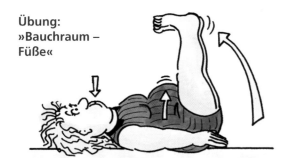

Füße gestreckt nach oben

Bauch gegen Gürtel drücken

Atem anhalten

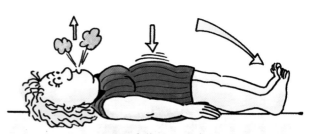

Beine fallen zurück

Bauch in Ausgangslage

Ausatmen · Entspannen

Freizeitkalender

Versuchen Sie, zumindest für die kommende Woche, Ihre Freizeit weitgehend im Voraus zu planen. Sinnvoll wäre es, ausreichend sportliche Aktivitäten in den Freizeitkalender aufzunehmen, um so entsprechend mehr Energie zu verbrauchen. Dieser »Abzugsposten« kann dann im Rahmen des **Schlank-ohne-Diät**-Programms berücksichtigt werden.

Wochentag	Datum	Uhrzeit (von – bis)	Freizeitaktivität
z. B.: Freitag	19. 6.	19.00 – 20.00	Tennis
Bemerkung: mit Freunden, dann Restaurant, kalorienarm, kein Alkohol			
Bemerkung:			
Bemerkung:			
Bemerkung:			
Bemerkung:			
Bemerkung:			
Bemerkung:			

Konstruktives Ablehnen

Kommt man in die Situation, dass einem Nahrungsmittel oder Getränke angeboten werden, die man eigentlich zu diesem Zeitpunkt nicht konsumieren möchte, kommt es auf das »richtige« Ablehnen an – um nicht andere zu verärgern oder im Nachhinein mit sich selbst unzufrieden zu sein, wenn das »Ablehnen« nicht nach Wunsch verlaufen ist.

Neben dem spontanen und bestimmten »Nein-Sagen« ist es eine wesentliche Hilfe, wenn man in einer solchen Situation ein Argument für das Ablehnen zur Verfügung hat (z. B. ».... da ich heute noch zu einem Abendessen eingeladen bin, möchte ich jetzt nichts essen....«) und dem Gesprächspartner ein Angebot unterbreiten kann (z. B. ».... aber morgen können wir gerne gemeinsam auf einen Imbiss gehen....«).

Im Folgenden finden Sie nun einige dieser typischen »Aufforderungen«. Versuchen Sie zu jeder dieser Aufforderungen

■ ein Argument zu finden, das überzeugt

■ und ein Angebot zu überlegen, damit der Gesprächspartner zufrieden gestellt ist.

In der kommenden Woche soll dieses »Ablehnen« in der Realsituation geübt werden.

Aufforderung	Argument	Angebot
Kommen Sie, ich lade Sie ein! Wir gehen noch auf einen kleinen Imbiss!		
Bei mir müssen Sie schon richtig essen. Fasten können Sie morgen, wenn Sie wollen.		

Aufforderung	Argument	Angebot
Bitte essen Sie diesen Happen noch auf! Er verdirbt sonst und das wäre schade.		
Ein Stückchen Kuchen werden Sie doch wohl noch essen dürfen?		
Essen Sie nichts mehr? Schmeckt es Ihnen etwa nicht?		
Diese Bäckerei wurde nach uralten Rezepten gemacht. Sie müssen unbedingt von jedem der Stücke probieren!		

Fähigkeit zum Glücklichsein erwerben – Wege zum »Flow«

Jede Lebensstiländerung erfordert geistige und durchaus auch körperliche Kraft. Dabei verlangt meist der Alltag schon so viel von uns ab: Mehrfachbelastungen, Sorgen, Stress. Damit muss man umgehen lernen ohne dabei zu vergessen, sich selbst auch immer wieder etwas Gutes zu tun. Ein Rezept dazu heißt »Flow« – die Fähigkeit zum Glücklichsein.

Flow – »in seinem Tun aufgehen« – liefert die Voraussetzung für Glück, Ausgeglichenheit und Gesundheit. Flow ist die Herausforderung an das Können und Wissen eines Menschen und sein Vertieftsein in die gestellte Aufgabe. Tätigkeiten künstlerischer oder sportlicher Natur, aber auch Alltagsereignisse, wie ein spannendes Gespräch oder ein fesselndes Buch, können zu dem Erleben des Glücklichseins führen. Jedenfalls sind solche Tätigkeiten, die Flow auslösen, meist anstrengend, manchmal sogar gefährlich, jedoch nie langweilig.

So schaffen Sie ideale Voraussetzungen für das Flow-Erleben:

- Suchen Sie nach Aufgaben, denen Sie auch gewachsen sind: Es ist nicht jedermanns Sache einen Achttausender zu besteigen.

- Konzentrieren Sie sich auf »die eine« Sache: Wenn es Ihnen nicht gelingt von anderen Dingen abzuschalten, entsteht Stress und ein fesselndes und scheinbar müheloses Beschäftigen wird nicht möglich sein.

- Behalten Sie Ihre Ziele klar im Auge: Auch das Erreichen »trivialer« Ziele kann Spaß machen, Ordnung in unserem Bewusstsein schaffen und das Selbstwertgefühl stärken.

Zeichen, an denen Sie Ihr Flow-Erleben überprüfen können:

- Sorgen und Frustrationen sind vergessen: Während des Flow-Erlebens wird man sich nicht mit Fragen beschäftigen wie »Warum mache ich das?« oder »Ist das sinnvoll?«.

- Alles ist unter Kontrolle: Auch schwierige Sachen werden aus eigener Kraft bewältigt.

- Selbstzweifel sind vergessen: Man ist mit solcher Hingabe und Freude bei dem was man tut und kann vorübergehend auf sein Ich vergessen.

- Zeitgefühl verschwindet: Stunden vergehen wie Minuten.

Spezielle

Tipps & Tricks

Gewusst wie

Es ist besonders wichtig, dass Sie Ihr Essverhalten nicht von heute auf morgen ändern, sondern langsam Schritt für Schritt. Die Summe der Kleinigkeiten macht's aus!

Machen Sie keine Diät, sondern analysieren Sie Ihr Essverhalten und ändern Sie dieses in Richtung gesunde Ernährung.

Allgemein

- Verzichten Sie nicht gänzlich auf Ihre Lieblingsspeisen. Essen Sie diese seltener aber mit Genuss.

- Vergessen Sie nicht aufs Trinken – aber kalorienarm. Auch das füllt den Magen und eventuelle Zwischendurch-Snacks werden uninteressant.

- Es kann wichtig sein, anderen Ihr etwas verändertes Essverhalten mitzuteilen. Erklären Sie das Prinzip von **Schlank ohne Diät** und man wird Sie verstehen.

- Achten Sie beim Essen darauf, nur kleine Bissen zu nehmen.

- Essen Sie langsam und kauen Sie jeden Bissen sehr sorgfältig.

- Wenn Sie außerhalb der festgelegten Mahlzeiten etwas essen oder trinken müssen, sehen Sie auf die Uhr und warten Sie noch 5 Minuten.

- Essen Sie nicht aus Langeweile.

- Trösten oder belohnen Sie sich nicht mit Essen.

- Legen Sie Wert auf Qualität und nicht auf Quantität.

- Lassen Sie sich nicht zum Essen überreden. Essen Sie nur das und dann, wenn Sie auch wirklich wollen.

Meine persönlichen Tipps und Tricks:

- _____

- _____

Einkaufen

- Gehen Sie niemals hungrig einkaufen. Man kauft üblicherweise viel zu viel ein.

- Schreiben Sie sich eine Einkaufsliste und halten Sie sich auch daran. Alles was nicht zu Hause ist, kann auch nicht gegessen werden.

- Nehmen Sie sich Zeit fürs Einkaufen. Schauen Sie ganz genau auf das Etikett. Die Zutatenliste verrät Ihnen sehr viel, da diese nämlich nach der zugesetzten Menge gereiht ist.

- Greifen Sie zu fettarmen Produkten.

- Nehmen Sie große Einkaufstaschen mit, da Obst und Gemüse auch sehr viel Platz in Anspruch nehmen.

- Kaufen Sie keine unnötigen Vorräte an Süßigkeiten, Keksen usw. ein, auch nicht für unerwartete Gäste. Wer unangemeldet kommt, kann nicht erwarten, dass er verpflegt wird.

- Lassen Sie sich auch nicht von Sonderangeboten zum Einkaufen von großen Mengen verführen. Bedenken Sie, dass Lebensmittel verderben können und Sie sollten ja nicht »gezwungen« werden diese zu konsumieren, damit dies nicht passiert.

Meine persönlichen Tipps und Tricks:

- _____

- _____

Restaurant / Kantine

- Lassen Sie das Brot und die Butter unberührt. Falls der Hunger schon unerträglich ist, essen Sie nur eine kleine Schnitte Brot ohne Belag.

- Verzichten Sie auf gebundene Suppen als Vorspeise, wählen Sie lieber einen Salat mit Jogurtdressing.

- Lassen Sie sich das Salatdressing separat servieren. So können Sie die Menge des Dressings selbst wählen.

- Wählen Sie Speisen mit fettarmen Zubereitungsarten wie Grillen.

- Wählen Sie fettarme Beilagen, wie Reis, Kartoffeln.

- Meiden Sie Pommes frites, Bratkartoffeln, Röstis und Gratins.

- Wählen Sie als Nachspeise Fruchtsalat ohne Schlagobers(-sahne) oder auch Sorbets.

- Käse schließt zwar den Magen, sollte aber nach einem Menü unter der Käseglocke bleiben.

- Als Alternative zur Nachspeise könnten Sie eine Tasse Kaffee trinken.

- Trinken Sie zum Essen Mineralwasser.

- Nehmen Sie nicht an »Buffetschlachten« teil. Nehmen Sie sich nur einen Teller und füllen Sie diesen mit Ihren Lieblingsspeisen.

Meine persönlichen Tipps und Tricks:

- _____

- _____

Unterwegs

- Wenn Sie Essen riechen oder sehen, überlegen Sie, ob Sie auch tatsächlich Hunger haben oder doch nur Appetit.

- Vermeiden Sie fettreiche Snacks wie Pizzaschnitten oder auch Leberkäsesemmeln.

- Für den kleinen Hunger unterwegs ist ein ungefülltes Kornweckerl ideal.

- Packen Sie Obst ein, damit sind Sie gut versorgt.

Meine persönlichen Tipps und Tricks:

- _____

- _____

Kochen

- Verwenden Sie speziell beschichtete Pfannen und Töpfe, damit können Sie fettfrei kochen.

- Verwenden Sie statt Parmesan Bierkäse. Wenn Sie diesen ins Kühlfach legen, lässt er sich auch reiben.

- Zum Gratinieren von Speisen nehmen Sie statt Obers (Sahne) oder Rahm ganz einfach Magerjogurt.

- Verwenden Sie Öl für den Salat nur tropfenweise.

- Verwenden Sie lieber Ihren Backofen als Ihre Fritteuse. Viele Nahrungsmittel (z. B. geschnittene Kartoffeln, Fischstäbchen) kann man ohne weiteres mit etwas Öl bepinseln und so backen.

- Gemüse- oder Getreidelaibchen können Sie auf ein beschichtetes Backpapier legen und im Herd backen. Nicht in der Pfanne mit Öl braten!

- Rahm (Sahne) kann ganz durch Milch und etwas Stärkemehl oder durch Mascarpone (Desserts) ersetzt werden.

- Kochen Sie mit Phantasie: Verwenden Sie Kräuter und Gewürze zur Zubereitung und Verfeinerung. So macht das Kochen Spaß und das Essen schmeckt einmal etwas anders.

- Nehmen Sie Folien zum Garen. Legen Sie Fisch oder Fleisch zusammen mit Gemüse und Kräutern in eine Alufolie und garen Sie alles im Backofen.

- Ersetzen Sie Mayonnaise und Rahm (Sahne) durch Topfen (Quark) und Jogurt.

- Lassen Sie Magerjogurt durch einen Kaffeefilter abtropfen. Es bekommt eine rahmartige Konsistenz und eignet sich für Soßen (nicht mehr aufkochen) und zum Binden.

- Verzichten Sie auf Öl im Kochwasser von Teigwaren. Es legt sich nämlich wie ein Film über die Nudeln und verhindert, dass die Soße gut haften bleibt.

- Kochen Sie nicht im Übermaß: Bereiten Sie nur jene »normalen« Portionen zu, die bei einer Mahlzeit konsumiert werden sollen. Auch wenn dann jemand noch gerne etwas mehr hätte, bietet sich sicher eine Alternative an.

Meine persönlichen Tipps und Tricks:

- _____

- _____

Einladungen

- Gehen Sie niemals hungrig zu Einladungen.

- Sparen Sie schon ein bis zwei Tage vorher Ihre Energiezufuhr ein oder verbrauchen Sie durch Bewegung mehr.

- Essen Sie keinen Nachschlag. Lehnen Sie freundlich, aber bestimmt ab (»Nein, danke!") und bitten Sie um eine kalorienarme Alternative («Könnte ich bitte einen Kaffee oder Tee haben?").

- Essen Sie langsam. Ein leerer Teller wird meist schnell wieder gefüllt.

- Bringen Sie die Nachspeise einfach selbst mit. Damit können Sie eine fettarme Variante in Ihr Essen einschleusen.

- Üben Sie Zurückhaltung beim Alkohol. Ersuchen Sie um ein energiefreies Getränk (Mineralwasser).

Meine persönlichen Tipps und Tricks:

- _____

- _____

Arbeitsplatz

- Verzichten Sie auf die Süßigkeitslade.

- Der ideale Pausensnack ist Obst.

- Machen Sie, während Sie essen, eine Pause.

- Bietet sich die Möglichkeit einer Mittagskantine an, so nehmen Sie diese in Anspruch. Bei bewusster Auswahl ist das meist günstiger als ein kalorienreicher Imbiss.

- Den ganzen Tag nichts zu essen, kann Heißhunger entstehen lassen. Eine kontrollierte Nahrungsaufnahme nach der Arbeit ist dann sehr schwierig.

Meine persönlichen Tipps und Tricks:

- _____

- _____